I

Pourquoi méditer ?

Examinons sincèrement notre existence. Où en sommes-nous dans la vie ? Quelles ont été jusqu'à présent nos priorités, et qu'envisageons-nous pour le temps qu'il nous reste à vivre ?

Nous sommes un mélange d'ombres et de lumières, de qualités et de défauts. Est-ce là vraiment une manière d'être optimale, un état de fait inéluctable ? Si tel n'est pas le cas, comment y remédier ? Ces questions méritent d'être posées, surtout si nous avons le sentiment qu'un changement serait souhaitable et possible.

Toutefois, en Occident, du fait des activités qui occupent du matin au soir une partie considérable de notre énergie, nous avons moins le loisir de nous pencher sur les causes fondamentales du bonheur. Nous nous imaginons, plus ou moins consciemment, que plus nous multiplions nos activités, plus nos sensations s'intensifient et plus notre sentiment d'insatisfaction s'estompe. En réalité, nombreux sont ceux qui, au contraire, sont déçus et frustrés par le mode de vie contemporain. Ils se sentent démunis, mais ne

11

voient pas d'autre solution parce que les traditions qui préconisent la transformation de soi sont souvent tombées en désuétude. Les techniques de méditation visent à transformer l'esprit. Il n'est pas nécessaire de leur attacher une étiquette religieuse particulière. Chacun de nous a un esprit, chacun peut travailler avec celui-ci.

Est-il souhaitable que nous changions ?

Peu d'entre nous peuvent affirmer que rien ne vaut la peine d'être amélioré dans leur façon de vivre et dans leur expérience du monde. Certains pensent que leurs travers et leurs émotions conflictuelles contribuent à la richesse de la vie et que c'est cette alchimie singulière qui fait d'eux ce qu'ils sont, une personne unique ; qu'ils doivent apprendre à s'accepter ainsi, à aimer leurs défauts au même titre que leurs qualités. Ceux-là risquent fort de vivre dans une insatisfaction chronique sans se rendre compte qu'ils pourraient s'améliorer au prix d'un peu d'effort et de réflexion.

Imaginons qu'on nous propose de passer une journée entière à éprouver de la jalousie. Qui d'entre nous l'accepterait avec plaisir ? En revanche, si on nous invitait à passer cette même journée le cœur plein d'amour pour les autres, la plupart d'entre nous trouveraient cette option infiniment préférable.

Notre esprit est fréquemment perturbé. Nous sommes affectés par des pensées douloureuses, envahis par la colère, blessés par les paroles dures que

L'ART DE LA MÉDITATION

DU MÊME AUTEUR

NiL éditions

La Citadelle des neiges, NiL, 2005
Plaidoyer pour le bonheur, NiL, 2003
L'Infini dans la paume de la main,
avec Trinh Xuan Thuan, NiL, 2000
Le Moine et le Philosophe,
avec Jean-François Revel, NiL, 1997

Chez d'autres éditeurs

Himalaya bouddhiste,
La Martinière, 2002
Moines danseurs du Tibet,
Albin Michel, 1999

L'Esprit du Tibet,
Le Seuil, 1996

ÉCRITS ET TRADUCTIONS DU TIBÉTAIN

Les Cent Conseils,
Padmakara, 2003
Dilgo Khyentsé Rinpotché,
Autobiographie d'un yogi tibétain,
Albin Michel, 1998
Dilgo Khyentsé Rinpotché,
Le Trésor du cœur des êtres éveillés,
Le Seuil, coll. « Points Sagesse », 1996

Matthieu Ricard

L'ART
DE LA MÉDITATION

Pourquoi méditer ? sur quoi ? comment ?

NiL

Les dessins de la page 39 ont été exécutés par les élèves
de l'école de Konchog Lhadrepa

© NiL éditions, Paris, 2008
ISBN 978-2-84111-395-8

Avant-propos

« Nous devons être le changement que
nous voulons voir dans le monde. »

Gandhi

Pourquoi ce petit traité de méditation ? Depuis
quarante ans, j'ai eu la grande chance de vivre auprès
de maîtres spirituels authentiques qui ont inspiré ma
vie et illuminé mon chemin. Leurs précieuses instructions ont guidé mes efforts. Je ne suis pas un
enseignant et reste plus que jamais un disciple. Mais
il m'arrive fréquemment de rencontrer lors de mes
voyages de par le monde des personnes qui me font
part de leur désir d'apprendre à méditer ; j'essaie,
autant que je peux, de les orienter vers des maîtres
qualifiés. Mais ce n'est pas toujours possible. C'est
donc pour tous ceux qui souhaitent sincèrement
s'exercer à la méditation que j'ai rassemblé ces instructions puisées aux sources les plus authentiques
du bouddhisme. Se transformer intérieurement en
entraînant son esprit est la plus passionnante des
aventures. Et c'est le véritable sens de la méditation.
Les exercices que l'on trouvera dans ce texte sont

issus d'une tradition deux fois millénaire. Que l'on s'adonne à la méditation seulement trente minutes par jour ou que l'on s'y efforce plus intensément dans la quiétude d'une retraite, ces exercices peuvent être pratiqués de manière graduelle, indépendamment les uns des autres.

Personnellement, j'ai eu l'immense fortune de rencontrer mon maître spirituel, Kanguiour Rinpotché, en 1967, près de Darjeeling en Inde, et de passer, après sa mort en 1975, quelques années en retraite dans un petit ermitage en bois sur pilotis dans la forêt qui surplombe son monastère. À partir de 1981, j'ai eu le privilège de vivre treize ans auprès d'un autre grand maître tibétain, Dilgo Khyentsé Rinpotché, et de recevoir ses enseignements. Après qu'il eut à son tour quitté le monde, en 1991, je me suis souvent retiré dans un petit ermitage de montagne, au Népal, à quelques heures de Katmandou, dans un centre de retraite fondé par le monastère de Shéchèn où je réside habituellement. Ces périodes ont été sans conteste parmi les plus fertiles de mon existence.

Depuis une dizaine d'années, je participe également à plusieurs programmes de recherches scientifiques qui visent à mettre en évidence les effets de la méditation pratiquée sur de longues durées. Il en ressort qu'il est possible de développer considérablement des qualités telles que l'attention, l'équilibre émotionnel, l'altruisme et la paix intérieure. D'autres études ont également démontré les bienfaits qui découlent de vingt minutes de méditation quotidienne pratiquée pendant six à huit semaines :

diminution de l'anxiété et de la vulnérabilité à la douleur, de la tendance à la dépression et à la colère, renforcement de l'attention, du système immunitaire et du bien-être en général. Quel que soit l'angle sous lequel on envisage la méditation – celui de la transformation personnelle, du développement de l'amour altruiste ou de la santé physique –, celle-ci apparaît donc comme un facteur essentiel si l'on veut mener une vie équilibrée et riche de sens.

Il serait dommage de sous-estimer la capacité de transformation de notre esprit. Chacun d'entre nous dispose du potentiel nécessaire pour s'affranchir des états mentaux qui entretiennent nos souffrances et celles des autres, pour trouver la paix intérieure et pour contribuer au bien des êtres.

nous adressent les autres. Dans ces moments-là, qui ne rêverait de contrôler ses émotions pour être libre et maître de lui-même ? Nous nous passerions volontiers de ces tourments, mais, ne sachant pas comment procéder, nous préférons penser qu'après tout, « c'est la nature humaine ». Or, ce qui est « naturel » n'est pas nécessairement souhaitable. Nous savons, par exemple, que la maladie est le lot de tous les êtres : cela ne nous empêche pas de consulter un médecin quand nous sommes malades.

Nous ne voulons pas souffrir. Personne ne se réveille le matin en pensant : « Pourvu que je souffre toute la journée et, si possible, toute ma vie ! » Quoi que nous fassions, qu'il s'agisse d'entreprendre une tâche importante, d'accomplir notre travail habituel, de nous engager dans une relation durable, ou simplement de nous promener dans la forêt, de boire une tasse de thé ou de faire une rencontre fortuite, nous espérons toujours que nous en retirerons quelque chose de bénéfique pour nous-mêmes ou pour les autres. Si nous étions sûrs qu'il ne résulterait que de la souffrance de nos actes, nous n'agirions pas.

Il nous arrive de connaître des moments de paix intérieure, d'amour et de lucidité, mais, la plupart du temps, ce ne sont que des sentiments éphémères qui cèdent vite la place à un autre état d'esprit. Pourtant, nous comprenons facilement que si nous entraînions notre esprit à cultiver ces moments privilégiés, cela transformerait radicalement notre vie. Nous savons tous qu'il serait souhaitable de devenir de meilleurs êtres humains et de nous transformer de l'intérieur tout en essayant de soulager la souffrance des autres et de contribuer à leur bien-être.

D'aucuns pensent que l'existence est fade en l'absence de conflits intérieurs. Nous connaissons tous les tourments de la colère, de l'avidité ou de la jalousie. De même, nous apprécions tous la bonté, le contentement et la joie de voir les autres heureux. Il apparaît clairement que le sentiment d'harmonie associé à l'amour d'autrui possède une qualité propre qui se suffit à elle-même. Il en va de même de la générosité, de la patience et de bien d'autres qualités. Si nous apprenions à cultiver l'amour altruiste et la paix intérieure, et que parallèlement, notre égoïsme et son cortège de frustrations s'atténuaient, notre existence ne perdrait rien de sa richesse, bien au contraire.

Un changement est-il possible ?

La vraie question n'est donc pas « Est-il désirable de changer ? », mais « Est-il possible de changer ? ». On peut, en effet, imaginer que les émotions perturbatrices sont si intimement associées à notre esprit qu'il nous est impossible de nous en débarrasser, à moins de détruire une partie de nous-même.

Certes, nos traits de caractère changent généralement peu. Observés à quelques années d'intervalle, rares sont les coléreux qui deviennent patients, les tourmentés qui trouvent la paix intérieure ou les prétentieux qui se font humbles. Cependant, aussi rares soient-ils, certains changent, et le changement qui s'opère en eux montre bien qu'il ne s'agit pas d'une chose impossible. Nos traits de caractère perdurent tant que nous ne faisons rien pour les améliorer et que nous laissons nos dispositions et nos automatismes se maintenir, voire gagner en force pensée après pensée, jour après jour, année après année. Mais ils ne sont pas intangibles.

La malveillance, l'avidité, la jalousie et les autres poisons mentaux font indiscutablement partie de notre nature, mais il y a différentes façons de faire partie de quelque chose. L'eau, par exemple, peut contenir du cyanure et nous faire mourir sur-le-champ ; toutefois, mêlée à un remède, elle contribue à nous guérir. Pourtant sa formule chimique n'a jamais changé. En elle-même elle n'est jamais devenue ni toxique ni médicinale. Les différents états de l'eau sont temporaires et anecdotiques, comme nos émotions, nos humeurs et nos traits de caractère.

Un aspect fondamental de la conscience

On comprend cela quand on saisit que la qualité première de la conscience, qui est simplement de « connaître », n'est intrinsèquement ni bonne ni mauvaise. Si l'on regarde par-delà le flot turbulent des pensées et des émotions éphémères qui traversent notre esprit du matin au soir, on peut toujours constater la présence de cet aspect fondamental de la conscience qui rend possible et sous-tend toute perception, quelle que soit sa nature. Le bouddhisme qualifie cet aspect connaissant de « lumineux », car il éclaire tout à la fois le monde extérieur et le monde intérieur des sensations, des émotions, des raisonnements, des souvenirs, des espoirs et des craintes en nous les faisant percevoir. Bien que cette faculté de connaître sous-tende chaque événement mental, elle n'est pas en elle-même affectée par cet événement. Un rayon de lumière peut éclairer un visage haineux ou un autre souriant, un joyau aussi bien qu'un tas d'ordures, mais la lumière n'est en elle-même ni malveillante ni aimable, ni propre ni sale. Cette constatation permet de comprendre qu'il est possible de transformer notre univers mental, le contenu de nos pensées et de nos expériences. En effet, le fond neutre et « lumineux » de la conscience nous offre l'espace nécessaire pour observer les événements mentaux au lieu d'être à leur merci, puis pour créer les conditions de leur transformation.

Un simple souhait ne suffit pas

Nous ne pouvons pas choisir ce que nous sommes, mais nous pouvons souhaiter nous améliorer. Cette aspiration va donner une direction à notre esprit. Un simple souhait ne suffisant pas, il nous incombera de le mettre en œuvre.

Nous ne trouvons pas anormal de passer des années à apprendre à marcher, à lire, à écrire, et à suivre une formation professionnelle. Nous passons des heures à nous exercer physiquement pour être en forme, par exemple en pédalant avec assiduité sur une bicyclette d'appartement qui ne va nulle part. Entreprendre une tâche, quelle qu'elle soit, nécessite d'éprouver un minimum d'intérêt ou d'enthousiasme, et cet intérêt provient du fait que nous sommes conscients des bienfaits que nous en recueillerons.

Par quel mystère l'esprit échapperait-il à cette logique et pourrait-il se transformer sans le moindre effort, simplement parce qu'on le souhaiterait ? Cela n'aurait pas plus de sens que d'espérer jouer un concerto de Mozart en pianotant de temps à autre.

Nous déployons beaucoup d'efforts pour améliorer les conditions extérieures de notre existence, mais en fin de compte c'est toujours notre esprit qui fait l'expérience du monde et le traduit sous forme de bien-être ou de souffrance. Si nous transformons notre façon de percevoir les choses, nous transformons la qualité de notre vie. Et ce changement résulte d'un entraînement de l'esprit que l'on appelle « méditation ».

Qu'est-ce que « méditer » ?

La méditation est une pratique qui permet de cultiver et de développer certaines qualités humaines fondamentales, de la même façon que d'autres formes d'entraînement nous apprennent à lire, à jouer d'un instrument de musique ou à acquérir toute autre aptitude.

Étymologiquement, les mots sanskrit et tibétain,

traduits en français par « méditation », sont respectivement *bhavana,* qui signifie « cultiver », et *gom,* qui signifie « se familiariser ». Il s'agit principalement de se familiariser avec une vision claire et juste des choses, et de cultiver des qualités que nous possédons tous en nous mais qui demeurent à l'état latent aussi longtemps que nous ne faisons pas l'effort de les développer.

Certains prétendent que la méditation n'est pas nécessaire parce que les expériences constantes de la vie suffisent à former notre cerveau et donc nos manières d'être et d'agir. Il ne fait pas de doute que c'est grâce à cette interaction avec le monde que la plupart de nos facultés, celles des sens par exemple, se développent. Pourtant, il est possible de faire beaucoup mieux. Les recherches scientifiques dans le domaine de la « neuroplasticité » montrent que toute forme d'entraînement induit des réorganisations importantes dans le cerveau, au niveau fonctionnel comme au plan structurel.

Commençons donc par nous demander ce que nous souhaitons véritablement dans l'existence. Nous contenterons-nous d'improviser jour après jour ? Ne voyons-nous pas, au fond de nous-mêmes, ce mal-être diffus toujours présent, alors que nous avons soif de bien-être et de plénitude ?

Habitués à penser que nos défauts sont inéluctables, essuyant des revers tout au long de notre vie, nous en venons à considérer notre dysfonctionnement comme un fait acquis, sans prendre conscience qu'il nous est possible de nous libérer de ce cercle vicieux dont nous sommes las.

Du point de vue du bouddhisme, chaque être porte en lui le potentiel de l'Éveil, aussi sûrement, disent les textes, que chaque grain de sésame est saturé d'huile. Malgré cela, nous errons dans la confusion comme des mendiants qui, pour utiliser une autre comparaison traditionnelle, sont à la fois pauvres et riches car ils ignorent qu'un trésor est enfoui sous leur cahute. Le but de la voie bouddhiste est de rentrer en possession de cette richesse ignorée, et de donner ainsi à notre vie le sens le plus profond qui soit.

Se transformer soi-même pour mieux transformer le monde

C'est aussi en développant nos qualités intérieures que nous pouvons le mieux aider les autres. Notre expérience personnelle, bien qu'elle soit au départ notre seule référence, doit par la suite nous permettre d'adopter un point de vue plus vaste qui prenne en compte tous les êtres. Nous dépendons tous les uns des autres et personne ne désire souffrir. Être « heureux » au milieu de l'infinité des autres qui souffrent serait absurde, si tant est que ce soit réalisable. La quête du bonheur uniquement pour soi-même est vouée à un échec certain, puisque l'égocentrisme est à la source même de notre mal-être. « Quand le bonheur égoïste est le seul but de la vie, la vie est bientôt sans but[1*], écrivait Romain Rolland. Même en affichant toutes les apparences du

---

* Les notes sont rassemblées en fin d'ouvrage.

bonheur, on ne peut être véritablement heureux en se désintéressant du bien d'autrui. En revanche, l'amour altruiste et la compassion sont les fondements du bonheur authentique.

Ces propos ne découlent pas d'une intention moralisante, ils reflètent simplement la réalité. Rechercher le bonheur uniquement pour soi est la meilleure façon de ne rendre heureux ni soi-même ni autrui. On pourrait croire qu'il est possible de s'isoler des autres pour assurer plus facilement son propre bien-être (à chacun d'en faire autant de son côté et tout le monde sera heureux !) mais le résultat ainsi obtenu sera à l'opposé de ce que l'on désirait. Tiraillés entre espoir et crainte, on rendra sa vie misérable et l'on ruinera également celle de tous ceux qui nous entourent. Au bout du compte, tout le monde sera perdant.

L'une des raisons fondamentales de cet échec est que le monde n'est pas constitué d'entités autonomes dotées de propriétés intrinsèques qui les rendraient par nature belles ou laides, amies ou ennemies : les choses et les êtres sont essentiellement interdépendants et en perpétuelle évolution. De plus, les éléments même qui les constituent n'existent, eux aussi, qu'en relation les uns avec les autres. L'égocentrisme se heurte sans cesse à cette réalité et n'engendre que frustrations.

L'amour altruiste, ce sentiment qui, selon le bouddhisme, consiste à souhaiter que les autres soient heureux, de même que la compassion – définie comme le désir de remédier à la souffrance d'autrui et à ses causes – ne sont pas simplement de nobles sentiments : ils sont fondamentalement en harmonie avec la réalité des choses. L'infinité des êtres veut éviter de souffrir, tout autant que nous-mêmes. Par ailleurs comme nous sommes tous interdépendants, nos bonheurs et nos malheurs sont intimement liés à ceux des autres. Cultiver l'amour et la compassion est un pari doublement gagnant : l'expérience montre que ce sont les sentiments qui nous font le plus de bien, et que les comportements qu'ils engendrent sont perçus par autrui comme bienfaisants.

Lorsque l'on est sincèrement concerné par le bien-être et la souffrance des autres, il devient nécessaire de penser et d'agir de façon juste et éclairée. Pour que les actes accomplis dans le but d'aider autrui aient véritablement des conséquences bénéfiques, ils doivent être guidés par la sagesse, une sagesse qui s'acquiert par la méditation. La raison d'être ultime de la méditation est de se transformer soi-même pour mieux transformer le monde, ou de devenir un être humain meilleur pour mieux servir les autres. Elle permet de donner à la vie son sens le plus noble.

Un effet global

Si le but premier de la méditation est de transformer notre expérience du monde, il s'avère également que l'expérience méditative a des effets bénéfiques sur la santé. Depuis une dizaine d'années, de grandes universités américaines comme l'Université de Madison au Wisconsin, celles de Princeton, d'Harvard et de Berkeley, de même que des centres à Zurich et à Maastricht en Europe, mènent des recherches intensives sur la méditation et son action à court et à long terme sur le cerveau. Des méditants expérimentés, qui totalisent entre dix mille et soixante mille heures de méditation, ont démontré qu'ils avaient acquis des capacités d'attention pure que l'on ne retrouve pas chez les débutants. Ils sont capables, par exemple, de maintenir une vigilance quasi parfaite pendant quarante-cinq minutes sur une tâche particulière, alors que la plupart des gens ne dépassent pas cinq ou dix minutes, au terme desquelles ils multiplient les erreurs. Les méditants expérimentés ont la faculté d'engendrer des états mentaux précis, ciblés, puissants et durables. Des expériences ont montré notamment que la zone du cerveau, associée à des émotions comme la compassion par exemple, présentait une activité considérablement plus grande chez les personnes qui avaient une longue expérience méditative. Ces découvertes indiquent que les qualités humaines peuvent être délibérément cultivées par un entraînement mental.

Il n'entre pas dans le cadre de ce texte de les détailler, mais signalons qu'un nombre croissant d'études scientifiques indiquent également que la pratique de la méditation à court terme diminue considérablement le stress (dont les effets néfastes sur la santé sont bien établis)[2], l'anxiété, la tendance à la colère (laquelle diminue les chances de survie après une chirurgie cardiaque) et les risques de rechute chez les personnes qui ont préalablement vécu au moins deux épisodes de dépression grave[3]. Huit semaines de méditation (de type MBSR[4]), à raison de trente minutes par jour, s'accompagnent d'un renforcement notable du système immunitaire, des émotions positives[5], et des facultés d'attention[6], ainsi que d'une diminution de la tension artérielle chez les sujets hypertendus[7], et d'une accélération de la guérison du psoriasis[8]. L'étude de l'influence des états mentaux sur la santé, autrefois considérée comme fantaisiste, est donc de plus en plus à l'ordre du jour de la recherche scientifique[9].

Sans vouloir faire de sensationnalisme, il importe de souligner à quel point la méditation et l'« entraînement de l'esprit » peuvent changer une vie. Nous avons tendance à sous-estimer le pouvoir de transformation de notre esprit et les répercussions que cette « révolution intérieure », douce et profonde, entraînent sur la qualité de notre vécu.

Une vie bien remplie n'est pas faite d'une succession ininterrompue de sensations plaisantes, mais d'une transformation de la manière dont nous comprenons et traversons les aléas de l'existence. L'entraînement de l'esprit permet non seulement de remédier aux toxines mentales, comme la haine et l'obsession, qui empoisonnent littéralement notre existence, mais aussi d'acquérir une meilleure connaissance de la façon dont l'esprit fonctionne et une perception plus juste de la réalité. C'est cette perception plus juste qui nous permet de faire face aux hauts et aux bas de la vie, non seulement sans être distraits ou brisés, mais aussi en sachant tirer d'eux un enseignement profond.

II

Sur quoi méditer ?

L'objet de la méditation est l'esprit. Pour le moment, il est à la fois confus, agité, rebelle et soumis à d'innombrables conditionnements et automatismes. La méditation n'a pas pour but de le briser ni de l'anesthésier, mais de le rendre libre, clair et équilibré.

D'après le bouddhisme, l'esprit n'est pas une entité mais un flot dynamique d'expériences, une succession d'instants de conscience. Ces expériences sont souvent marquées par la confusion et la souffrance, mais elles peuvent aussi être vécues dans un état spacieux de clarté et de liberté intérieure.

Nous savons bien, comme nous le rappelle un maître tibétain contemporain, Jigmé Khyentsé Rinpotché, que « nous n'avons aucunement besoin d'entraîner notre esprit pour qu'il soit plus facilement contrarié ou jaloux. Nous n'avons vraiment pas besoin d'un accélérateur de colère ou d'un amplificateur d'amour-propre[1] ». Par contre, l'entraînement de l'esprit est crucial si nous voulons affiner notre attention, développer notre équilibre émotionnel et notre paix intérieure et cultiver le dévouement au bien d'autrui. Nous avons en nous-mêmes le potentiel nécessaire pour faire fructifier ces qualités, mais celles-ci ne se développeront pas d'elles-mêmes, du simple fait de le vouloir. Elles nécessitent un entraînement. Or, tout entraînement, comme nous l'avons déjà remarqué, demande de la persévérance et de l'enthousiasme. On n'apprend pas à skier en s'y exerçant une ou deux minutes par mois.

Affiner l'attention et la pleine conscience

Galilée a découvert les anneaux de Saturne après avoir fabriqué une lunette astronomique suffisamment lumineuse et puissante qu'il a ensuite placée sur un support stable. Cette découverte n'aurait pas été possible si son instrument avait été défectueux ou s'il l'avait tenu d'une main tremblante. De la même façon, si nous voulons observer les mécanismes les plus subtils du fonctionnement de notre esprit et agir sur eux, nous devons absolument affiner notre pouvoir d'introspection. À cette fin, il nous faut parfaitement aiguiser notre attention de façon à ce qu'elle devienne stable et claire. Nous pourrons alors observer le fonctionnement de notre esprit, la façon dont il perçoit le monde, et comprendre l'enchaînement des pensées. Enfin, nous serons en mesure d'affiner davantage la perception de notre esprit pour discerner l'aspect le plus fondamental de la conscience, un état parfaitement lucide et éveillé qui est toujours là, même en l'absence de constructions mentales.

Ce que la méditation n'est pas

On reproche parfois aux pratiquants de la méditation d'être trop centrés sur eux-mêmes, de se complaire dans une certaine introspection égocentrique au lieu de s'occuper des autres. On ne peut pourtant pas traiter d'égoïste une démarche qui a pour but d'éradiquer l'obsession de soi et de cultiver l'altruisme. Cela reviendrait à reprocher à un futur médecin de passer des années à étudier la médecine.

Il existe de nombreux clichés concernant la méditation. Disons d'emblée qu'elle ne consiste ni à faire le vide dans son esprit en bloquant les pensées – ce qui est d'ailleurs impossible – ni à engager l'esprit dans des cogitations sans fin pour analyser le passé ou anticiper l'avenir. Elle ne se réduit pas non plus à un simple processus de relaxation dans lequel les conflits intérieurs sont momentanément suspendus dans un état de conscience indifférencié.

Il y a certes un élément de relaxation dans la méditation, mais il s'agit plutôt du soulagement qui accompagne le « lâcher prise » sur les espoirs et les craintes, sur les attachements et les caprices de l'ego qui ne cessent de nourrir nos conflits intérieurs.

Une maîtrise qui libère

La façon de gérer les pensées, nous le verrons, ne consiste ni à les bloquer ni à les nourrir indéfiniment, mais à les laisser survenir et se dissoudre d'elles-mêmes dans le champ de la pleine conscience, de sorte qu'elles n'envahissent pas notre esprit.

La méditation consiste plus exactement à prendre le contrôle de son esprit, à se familiariser avec une nouvelle compréhension du monde et à cultiver une manière d'être qui n'est plus soumise à nos schémas de pensée habituels. Elle débute souvent par une démarche analytique et se poursuit par la contemplation et la transformation intérieures.

Être libre, c'est être maître de soi-même. Ce n'est pas faire tout ce qui nous passe par la tête mais s'émanciper de la contrainte des afflictions qui dominent l'esprit et l'obscurcissent. C'est prendre sa vie en main, au lieu de l'abandonner aux tendances forgées par l'habitude et à la confusion mentale. Ce n'est pas lâcher la barre, laisser les voiles flotter au vent et le bateau partir à la dérive, mais au contraire barrer en mettant le cap vers la destination choisie : celle qu'on sait être la plus souhaitable pour soi-même et pour les autres.

Au cœur de la réalité

La compréhension dont il s'agit ici consiste en une vision plus claire de la réalité. La méditation n'est pas un moyen d'échapper à la réalité, comme on le lui reproche parfois : elle a au contraire pour but de nous faire voir la réalité telle qu'elle est – au plus près de ce que nous vivons –, de démasquer les causes profondes de la souffrance et de dissiper la confusion mentale qui nous incite à chercher le bonheur là où il ne se trouve pas. Pour parvenir à la juste vision des choses, on médite, par exemple, sur l'interdépendance de tous les phénomènes, sur leur caractère transitoire et sur la non-existence de l'ego perçu comme une entité solide et autonome à laquelle on s'identifie.

Ces méditations s'appuient également sur l'expérience acquise par des générations de contemplatifs qui ont consacré leur vie à observer les mécanismes de la pensée et la nature de la conscience, et qui ont ensuite enseigné un grand nombre de méthodes empiriques permettant de développer la clarté mentale, la vigilance, la liberté intérieure, ou encore l'amour et la compassion. Il est néanmoins indispensable de constater par soi-même la valeur de ces méthodes et de vérifier la validité des conclusions auxquelles ces sages sont parvenus. Cette vérification n'est pas une simple démarche intellectuelle : il faut redécouvrir ces conclusions puis les intégrer au plus profond de soi par un long processus de familiarisation. Cette démarche doit faire appel à la détermination, l'enthousiasme et la persévérance, ce que Shantidéva[2] appelle « la joie de faire ce qui est bénéfique ».

On commence donc par observer et comprendre comment les pensées s'enchaînent et engendrent tout un monde d'émotions, de joies et de souffrances. On pénètre ensuite derrière l'écran des pensées pour appréhender la composante fondamentale de la conscience, la faculté cognitive première, au sein de laquelle toutes les pensées et tous les autres phénomènes mentaux surgissent.

Libérer le singe de l'esprit

Pour mener à bien cette tâche, il faut commencer par calmer son esprit turbulent. On compare l'esprit à un singe captif qui s'agite tant et si bien qu'il s'entrave lui-même et se trouve incapable de défaire ses propres chaînes.

Du tourbillon des pensées surgissent d'abord les émotions, puis les humeurs et le comportement et, à la longue, les habitudes et les traits de caractère. Tout ce qui se manifeste ainsi spontanément ne produit pas en soi de bons résultats, pas plus que semer des graines à tout vent ne fait pousser de bonnes récoltes. Il faut donc avant tout maîtriser l'esprit, à l'image du paysan qui prépare sa terre pour y jeter des semences.

Si l'on considère sincèrement les bienfaits que l'on recueille lorsqu'on fait une nouvelle expérience du monde à chaque instant de son existence, il ne semble pas excessif de passer ne serait-ce que vingt minutes par jour à mieux connaître son esprit et à l'entraîner.

Le fruit de la méditation est ce que l'on pourrait appeler une manière d'être optimale ou un bonheur authentique. Ce bonheur-là n'est pas constitué d'une succession de sensations et d'émotions plaisantes. C'est le sentiment profond d'avoir réalisé de la meilleure des façons le potentiel de connaissance et d'accomplissement qui se trouve en soi. L'aventure en vaut la peine.

III

Comment méditer ?

La méditation n'est pas affaire de mots mais de pratique. Il ne sert à rien de lire maintes fois le menu d'un restaurant ; ce qui compte, c'est de se mettre à table. Il est néanmoins utile de disposer des lignes directrices qu'offrent les ouvrages des sages du passé. Ces derniers contiennent des mines d'instructions qui exposent clairement le but et les méthodes de chaque méditation, le meilleur moyen de progresser et les pièges qui guettent le pratiquant.

Voyons maintenant quelques-unes des nombreuses méthodes de méditation. Nous commencerons par des préliminaires et des conseils généraux, puis nous envisagerons un certain nombre de méditations particulières qui constituent le fondement de la voie spirituelle. Nous le ferons de la façon la plus simple possible, afin de permettre à chacun de s'y exercer graduellement. Enfin, pour ceux qui souhaitent approfondir ces pratiques, nous donnerons en fin de texte les références d'ouvrages plus détaillés. On ne soulignera jamais assez l'importance des conseils d'un guide expérimenté. Ce texte ne vise pas à les remplacer, mais à offrir des bases provenant de sources authentiques.

Nombre de ces exercices, ceux notamment qui portent sur la pleine conscience, le calme intérieur, la vision pénétrante et l'amour altruiste, sont pratiqués par toutes les écoles du bouddhisme ; d'autres, ceux qui traitent par exemple de la façon de gérer les émotions, proviennent des enseignements du bouddhisme tibétain. Ce livre étant destiné à tous ceux qui désirent pratiquer la méditation sans vouloir nécessairement s'engager dans le bouddhisme, nous n'avons pas expliqué certains fondements de la pratique bouddhiste proprement dite, comme la prise du refuge, de même que certains sujets trop spécifiques.

Nous aborderons les thèmes suivants :

- la motivation qui doit précéder et accompagner tout effort ;
- les conditions favorables à l'exercice de la méditation :
  - *suivre les conseils d'un guide qualifié,*
  - *les lieux propices à la méditation,*
  - *une posture physique appropriée,*
  - *l'enthousiasme comme moteur de la persévérance* ;
- quelques recommandations générales ;
- tourner son esprit vers la méditation en contemplant :
  - *la valeur de la vie humaine,*
  - *la nature éphémère de toute chose,*
  - *ce qu'il est judicieux d'accomplir ou d'éviter,*
  - *l'insatisfaction inhérente au monde ordinaire* ;

- la méditation sur la pleine conscience ;
- le calme intérieur (*shamatha*) :
  - *l'attention au va-et-vient du souffle,*
  - *la concentration sur un objet,*
  - *la concentration sans objet,*
  - *surmonter les obstacles,*
  - *la progression du calme intérieur* ;
- la méditation sur l'amour altruiste :
  - *l'amour,*
  - *la compassion,*
  - *se réjouir du bonheur d'autrui,*
  - *l'impartialité,*
  - *comment associer ces quatre méditations,*
  - *L'échange de soi contre autrui* ;
- apaiser la douleur physique et mentale ;
- la vision pénétrante (*vipasyana*) :
  - *mieux comprendre la réalité,*
  - *gérer les pensées et les émotions,*
  - *à la recherche de l'ego,*
  - *méditation sur la nature de l'esprit* ;
- dédier les fruits de nos efforts ;
- associer la méditation à la vie de tous les jours.

Pour conclure, souvenons-nous que notre esprit peut être notre meilleur ami comme notre pire ennemi. Le libérer de la confusion, de l'égocentrisme et des émotions perturbatrices est donc le meilleur service que nous puissions rendre à nous-même et à autrui.

Lorsque nous nous engageons dans une méditation, comme dans toute autre activité, il est essentiel de vérifier la nature de notre motivation. En effet, c'est cette motivation, altruiste ou égoïste, vaste ou limitée, qui donnera une direction positive ou négative à nos actes et en déterminera ainsi le résultat.

Nous souhaitons tous éviter la souffrance et atteindre le bonheur, et nous avons tous le droit fondamental de réaliser cette aspiration. **Pourtant, nos actes sont la plupart du temps en contradiction avec nos désirs. Nous cherchons le bonheur là où il ne se trouve pas et nous nous précipitons vers ce qui va nous faire souffrir. La pratique bouddhiste n'exige pas de renoncer à tout ce qui est réellement bénéfique dans l'existence, mais plutôt d'abandonner les causes de la souffrance, auxquelles nous sommes pourtant attachés comme à des drogues.** Cette souffrance étant due à la confusion mentale qui obscurcit notre lucidité et notre jugement, la seule façon d'y remédier est d'acquérir une vision juste de la réalité et de transformer notre esprit. Nous éliminerons ainsi ses causes premières : les poisons mentaux que sont l'ignorance, la malveillance, l'avidité, l'arrogance et la jalousie, eux-mêmes produits par l'attachement égocentrique et fallacieux au « moi ».

Se guérir de ses souffrances personnelles ne suffit pourtant pas. Chacun de nous ne représente qu'un seul être, alors que les autres sont en nombre infini et veulent tous, au même titre que nous, ne plus souffrir. De plus, tous les êtres sont interdépendants et nous sommes donc intimement liés aux autres. Par conséquent, le but ultime de la transformation que nous allons entreprendre par la méditation est aussi d'être capable de libérer tous les êtres de la souffrance et de contribuer à leur bien-être.

Méditation

Réfléchissons à notre situation actuelle. Nos comportements ou réactions habituels ne mériteraient-ils pas d'être améliorés ? Regardons au plus profond de nous-même. N'y décelons-nous pas la présence d'un potentiel de changement ? Ayons confiance dans le fait que ce changement est possible, pour peu que nous fassions preuve de détermination et de lucidité. Formons le vœu de nous transformer non seulement pour notre propre bien mais aussi, et surtout, pour un jour être capable de dissiper la souffrance des autres et de les aider à trouver le bonheur durable. Laissons cette détermination croître et s'enraciner au plus profond de nous.

Sources d'inspiration

« Faisons-nous preuve d'étroitesse ou d'ouverture d'esprit ? Prenons-nous en considération l'ensemble d'une situation ou nous limitons-nous à ses détails ? Avons-nous une perspective à court ou à long terme ? Est-ce que notre motivation est réellement empreinte de compassion ?... Notre compassion se limite-t-elle à notre famille, à nos amis et à tous ceux auxquels nous nous identifions ? Il faut sans relâche nous poser ce genre de question. »

Le XIVe Dalaï-lama

Que la précieuse Pensée de l'Éveil
Naisse en moi, si je ne l'ai pas conçue.
Quand elle a pris naissance, que jamais elle ne décline
Mais toujours se développe.

Vœu du Bodhisattva

Suivre les conseils d'un guide qualifié

Pour pouvoir méditer, il faut d'abord savoir comment s'y prendre. D'où le rôle essentiel d'un instructeur qualifié. Dans le meilleur des cas, il s'agit d'un maître spirituel authentique capable d'offrir une source inépuisable d'inspiration et de connaissances, de même qu'une longue expérience personnelle. Rien ne peut remplacer, en effet, la force de l'exemple et la profondeur de la transmission vivante. Outre sa présence inspirante et l'enseignement qu'il dispense silencieusement, par sa seule manière d'être, un tel maître veille à ce que le disciple ne s'égare pas dans des chemins de traverse.

Si l'occasion de rencontrer un tel être ne nous est pas donnée, on peut aussi bénéficier des conseils de quelqu'un de sérieux qui a davantage de connaissances et d'expérience que soi et dont les instructions s'appuient sur une tradition véritable et maintes fois éprouvée. Sinon, mieux vaut s'aider d'un texte, même très simple comme celui-ci, pourvu qu'il repose sur des sources fiables, plutôt que de s'en remettre à un instructeur dont les enseignements ne reflètent que des fantaisies de son cru.

Un lieu propice à la méditation

Les circonstances que nous offre la vie de tous les jours ne sont pas toujours favorables à la méditation. Notre temps et notre esprit sont occupés par toutes sortes d'activités et de préoccupations sans fin. C'est pourquoi il est nécessaire, au début, de se ménager un certain nombre de conditions favorables. Il est possible et souhaitable de maintenir les bienfaits de la méditation lorsque l'on se trouve plongé dans le flot de la vie courante, notamment en ayant recours à l'exercice de la « pleine conscience ». Mais initialement, il est indispensable d'entraîner son esprit dans un environnement propice. On n'apprend pas les rudiments de la navigation en pleine tempête, mais par beau temps sur une mer calme. De même, au commencement, il est préférable de méditer dans un lieu tranquille pour donner à l'esprit une chance de devenir clair et stable. Les textes bouddhistes ont souvent recours à l'image d'une lampe à huile. Si celle-ci est constamment exposée en plein vent, son éclat sera faible et elle risquera à tout moment de s'éteindre. Si en revanche on la protège du vent, sa flamme sera stable et lumineuse. Il en va de même pour notre esprit.

Une posture physique appropriée

La posture physique influe sur l'état mental. Si nous adoptons une posture trop relâchée, il y a de fortes chances que notre méditation sombre dans la torpeur et la somnolence. En revanche, une posture trop rigide et tendue risque de susciter l'agitation mentale. Il faut donc adopter une posture équilibrée, ni trop tendue ni trop relâchée. On trouve dans les textes la description de la posture en sept points, appelée *vajrasana* (posture « amadantine) :

38

1. Les jambes sont croisées dans la posture du *vajra*, communément appelée « posture du lotus », dans laquelle on commence par replier la jambe droite sur la gauche, puis la gauche sur la droite.

Si celle-ci est trop difficile, on peut adopter le « demi-lotus » qui consiste à ramener la jambe droite sous la cuisse gauche et la jambe gauche sous la cuisse droite (posture dite « heureuse », appelée *sukhasana*) :

2. Les mains reposent sur le giron, dans le geste de l'équanimité, la main droite sur la main gauche, l'extrémité des pouces se touchant. Une variante consiste à poser les deux mains à plat, sur les genoux, les paumes vers le bas.

3. Les épaules sont légèrement relevées et penchées vers l'avant.

4. La colonne vertébrale est bien droite, « comme une pile de pièces d'or ».

5. Le menton est légèrement rentré contre la gorge.

6. La pointe de la langue touche le haut du palais.

7. Le regard est dirigé droit devant soi ou légèrement vers le bas, dans le prolongement du nez, les yeux grands ouverts ou mi-clos.

Si nous avons de la peine à rester assis les jambes croisées, nous pouvons bien sûr méditer sur une chaise ou sur un coussin surélevé. L'essentiel est de maintenir une position équilibrée, le dos droit, et d'adopter les autres points de la posture décrite ci-dessus. Les textes disent que si le corps est bien droit, les canaux d'énergie subtile restent également droits et, par voie de conséquence, l'esprit est clair.

On peut toutefois modifier légèrement la posture du corps selon l'évolution de la méditation. Si l'on a tendance à sombrer dans la torpeur, voire le sommeil, on redressera le buste en adoptant une posture plus tonique, et l'on portera le regard vers le haut. Si, au contraire, l'esprit est trop agité, on se relâchera un peu et l'on dirigera le regard vers le bas.

La posture appropriée doit être maintenue le plus longtemps possible, mais si elle devient trop inconfortable, mieux vaut se détendre quelques instants plutôt que d'être constamment distrait par la douleur. On peut aussi, dans les limites de ses capacités, appréhender l'expérience de la douleur, sans la rejeter ni l'amplifier, et l'accueillir comme toute autre sensation, plaisante ou déplaisante, dans la pleine conscience du moment présent. On peut, enfin, faire alterner la méditation assise avec la marche contemplative, une méthode que nous décrirons plus tard.

L'enthousiasme comme moteur de la persévérance

Pour s'intéresser à quelque chose et y consacrer du temps, il faut d'abord en percevoir les avantages. Le fait de réfléchir aux bienfaits attendus de la méditation puis de les avoir quelque peu goûtés par soi-même nourrira notre persévérance. Cela ne veut pas dire pour autant que la méditation est un exercice toujours agréable. On peut la comparer à une excursion en montagne qui n'est pas à chaque instant une partie de plaisir. L'essentiel est d'éprouver un intérêt suffisamment profond pour maintenir l'effort en dépit des hauts et des bas de la pratique spirituelle. La satisfaction de progresser vers le but que l'on s'est fixé suffit alors à entretenir sa détermination et la conviction que l'effort en vaut la peine.

Il est essentiel de maintenir la continuité de la méditation, jour après jour, car c'est ainsi que celle-ci prendra peu à peu de l'ampleur et gagnera en stabilité, comme un filet d'eau qui se transforme graduellement en ruisseau puis en fleuve.

On lit dans les textes qu'il vaut mieux méditer régulièrement et de façon répétée pendant de courtes périodes de temps que d'effectuer de temps à autre de longues séances. Nous pouvons, par exemple, consacrer vingt minutes chaque jour à la méditation et profiter des pauses dans nos activités pour raviver, ne serait-ce que quelques minutes, l'expérience que nous aurons acquise durant notre pratique formelle. Ces courtes périodes auront davantage de chances d'être de bonne qualité et elles entretiendront un sentiment de continuité dans notre pratique. Pour qu'une plante pousse bien, il faut l'arroser un peu chaque jour. Si l'on se contente de verser sur elle un grand seau d'eau une fois par mois, elle mourra probablement de sécheresse entre deux arrosages. Il en va de même pour la méditation. Ce qui n'empêche pas d'y consacrer parfois davantage de temps.

Si nous méditons de façon trop discontinue, pendant les intervalles sans méditation nous reviendrons à nos vieilles habitudes et retomberons sous l'emprise des émotions négatives, sans avoir la possibilité de recourir au soutien de la méditation. À l'inverse, si nous méditons souvent, même de façon brève, il nous sera possible de prolonger, entre les séances formelles, une certaine part de notre expérience méditative.

On dit aussi que l'assiduité ne doit pas dépendre de l'humeur du moment. Que notre séance de méditation soit plaisante ou ennuyeuse, facile ou difficile, l'important est de persévérer. C'est d'ailleurs lorsqu'on ne se sent pas très enclin à méditer que la pratique est généralement la plus profitable, car elle s'attaque directement à ce qui, en nous, fait obstacle au progrès spirituel.

Comme nous le verrons plus en détail, nous devons également équilibrer nos efforts, de sorte que nous ne soyons ni trop tendus ni trop relâchés. Le Bouddha avait un disciple qui était un grand joueur de *vina*, un instrument à cordes proche du *sitar*. Ce disciple avait beaucoup de mal à méditer et en fit part au Bouddha : « Parfois, je fais des efforts démesurés pour être concentré et je suis alors beaucoup trop tendu. D'autres fois, j'essaie de me détendre, mais alors je me relâche trop et sombre dans la torpeur. Comment faire ? » En guise de réponse, le Bouddha lui posa une question : « Lorsque tu accordes ton instrument, quelle tension donnes-tu à tes cordes pour qu'elles émettent le meilleur son ? – Elles doivent être ni trop tendues ni trop relâchées », répondit le musicien. Le Bouddha conclut : « Il en va de même pour la méditation : pour qu'elle progresse harmonieusement, il faut trouver un juste équilibre entre effort et relâchement. »

Il est également conseillé de ne pas accorder d'importance aux diverses expériences intérieures qui peuvent surgir au cours de la méditation sous la forme, par exemple, de félicité, de clarté intérieure, ou d'absence de pensées. Ces expériences sont comparables aux paysages que l'on voit défiler lorsqu'on est assis dans un train. Nous n'aurions pas l'idée de descendre du train chaque fois qu'une scène nous semble intéressante, car l'important, c'est d'atteindre notre destination finale. Dans le cas de la méditation, notre but est de nous transformer nous-mêmes au fil des mois et des années. Ces progrès sont en général à peine perceptibles d'un jour à l'autre, à l'image des aiguilles d'une horloge qui semblent ne pas bouger lorsqu'on les regarde fixement. Nous devons donc être diligents, mais pas impatients. La précipitation s'accorde mal avec la méditation, car toute transformation profonde exige du temps.

Peu importe que le chemin soit long, il ne sert à rien de se fixer une date limite, l'essentiel étant de savoir que l'on va dans la bonne direction. En outre, le progrès spirituel n'est pas une affaire de « tout ou rien ». Chaque pas, chaque étape, apporte son lot de satisfaction et contribue à l'épanouissement intérieur.

Pour résumer, ce qui compte, ce n'est pas de faire de temps à autre quelques expériences éphémères, mais de voir, au bout de plusieurs mois ou de plusieurs années de pratique, que l'on a changé de façon durable et profonde.

Afin de renforcer notre détermination à méditer, quatre sujets de réflexion doivent retenir notre attention : (1) la valeur de la vie humaine, (2) sa fragilité et la nature transitoire de toute chose, (3) la distinction entre les actes bénéfiques et les actes nuisibles, et (4) l'insatisfaction inhérente à un grand nombre de situations de notre existence.

La valeur de la vie humaine
À condition de jouir d'un minimum de libertés et d'opportunités, l'existence humaine offre d'extraordinaires occasions de développement intérieur. Utilisée à bon escient, elle nous offre une chance unique de réaliser le potentiel que nous possédons tous mais que nous négligeons et dilapidons si facilement. Ce potentiel, voilé par notre ignorance ou confusion mentale et par nos émotions perturbatrices, demeure la plupart du temps enfoui à l'intérieur de nous à l'image d'un trésor caché. Les qualités acquises tout au long du cheminement spirituel signalent l'émergence graduelle de ce potentiel, comparable à l'éclat d'une pépite d'or qui se manifeste à mesure qu'on la nettoie.

Méditation

Rendons-nous compte à quel point la vie humaine est précieuse, et aspirons profondément à en extraire la quintessence. Comparée à celle des animaux, cette vie nous offre la chance extraordinaire d'accomplir une œuvre bénéfique qui dépasse les limites de notre simple personne. L'intelligence humaine est un outil extrêmement puissant, capable d'engendrer d'immenses bienfaits comme de produire de terribles malheurs. Utilisons-la pour éliminer graduellement la souffrance et découvrir le bonheur authentique, pas seulement pour nous-même mais pour tous ceux qui nous entourent, de sorte que chaque instant qui passe vaille la peine d'être vécu et que nous soyons sans regret au temps de la mort, comme le paysan qui a cultivé son champ du mieux qu'il pouvait. Demeurons quelques instants dans cette profonde appréciation.

Source d'inspiration

« L'une des principales difficultés que l'on rencontre en essayant d'examiner son esprit est la conviction profonde, et souvent inconsciente, que l'on est comme on est, et que l'on n'y peut rien changer. J'ai moi-même éprouvé ce sentiment de pessimisme inutile dans mon enfance, et je l'ai constaté très souvent chez les autres au cours de mes voyages dans le monde. Sans même que nous en soyons conscients, voir ainsi notre esprit comme une chose rigide empêche en soi toute tentative de changement.

Certains m'ont dit avoir essayé de changer au moyen de déclarations affirmatives, de prières ou de visualisations, mais ils ont souvent abandonné au bout de quelques jours ou de quelques semaines, car ils ne voyaient pas de résultat immédiat. Lorsque les méthodes restent sans effet, ils rejettent toute idée de transformer leur esprit. Néanmoins, au cours de mes conversations avec des savants de tous pays, j'ai été frappé par une chose : presque toute la communauté scientifique s'accorde à penser que le cerveau est structuré de telle sorte qu'il est possible d'effectuer de véritables changements dans notre expérience de tous les jours. »

Yongey Mingyour Rinpotché[1]

À quoi sert exactement de réfléchir à la nature transitoire des êtres et des choses ? La vie humaine, aussi brève soit-elle, a une valeur inestimable. La réflexion sur l'impermanence permet d'apprécier la valeur du temps, de se rendre compte que chaque seconde de vie est précieuse, alors que d'ordinaire nous laissons le temps s'écouler comme de l'or fin entre les doigts. Pourquoi remettons-nous sans cesse à plus tard ce que nous savons intuitivement être essentiel ? Il n'est pas nécessaire non plus de trépigner d'impatience en voulant des résultats au plus vite. Il faut acquérir la détermination inébranlable de ne plus perdre de temps en distractions qui n'ont aucun sens. Ne nous laissons plus duper par l'illusion que « nous avons toute la vie devant nous ». Chaque instant de vie est précieux car la mort peut survenir à tout moment.

La manière dont on envisage la mort influence considérablement la qualité de la vie. Certains sont terrifiés, d'autres préfèrent ne pas y penser, d'autres encore méditent sur elle pour mieux apprécier la valeur de chaque instant et discerner ce qui vaut la peine d'être vécu. Égaux devant le caractère inévitable de la mort, les êtres diffèrent quant à la manière de s'y préparer. Le sage s'en sert comme d'un aiguillon qui avive son courage et le garde des vaines distractions. Il ne vit pas dans la hantise de la mort mais reste conscient de la fragilité de la vie, de sorte qu'il donne toute sa valeur au temps qui lui reste.

Celui qui met à profit chaque instant pour devenir un être meilleur et contribuer au bonheur des autres mourra en paix.

Si nous prenions conscience de la nature fondamentalement changeante de toute chose, comment pourrions-nous croire qu'un être est foncièrement mauvais ou qu'une chose est à jamais désirable ou haïssable ? Comment pourrions-nous percevoir quelque chose comme étant intrinsèquement « mien » ? Comment pourrions-nous envisager un « ego » permanent au sein du flot continuellement changeant de notre conscience ?

Comprendre que le changement est inscrit dans la nature de tous les phénomènes du monde animé ou inanimé nous évite de nous accrocher aux choses comme si elles devaient durer éternellement. Cette dernière attitude se traduit tôt ou tard par la souffrance puisqu'elle est en porte-à-faux avec la réalité. De plus, lorsque le changement se manifestera, nous comprendrons qu'il est dans la nature même des choses, et nous en serons moins affectés.

Méditation

Pensons à la succession des saisons, des mois et des jours, de chaque instant, et aux changements qui affectent chaque aspect de la vie des êtres ; pensons à la mort enfin, qui est inéluctable mais dont l'heure est incertaine. Qui sait combien de temps il me reste à vivre ? Même si je vis jusqu'à un âge avancé, la fin de ma vie passera aussi rapidement que le début. Il importe donc que je considère, au plus profond de moi-même, ce qui compte vraiment dans l'existence, et que j'utilise le temps qu'il me reste à vivre de la façon la plus fructueuse, pour mon bien et celui des autres. Si j'aspire à méditer et à développer mes qualités intérieures, il n'est jamais trop tôt pour m'y consacrer.

Source d'inspiration

Si cette vie que bat le vent de mille maux
Est plus fragile encor qu'une bulle sur l'eau,
Il est miraculeux, après avoir dormi,
Inspirant, expirant, de s'éveiller dispos !

Nagarjouna

« Au départ, il faut être poursuivi par la peur de la mort comme un cerf qui s'échappe d'un piège. À mi-chemin, il ne faut rien avoir à regretter, comme le paysan qui a travaillé son champ avec soin. À la fin, il faut être heureux comme quelqu'un qui a accompli une grande tâche. »

Gampopa

LES COMPORTEMENTS QU'IL FAUT ADOPTER
ET CEUX QU'IL FAUT ÉVITER

Comment tirer le meilleur parti de cette vie humaine, précieuse mais fragile, qui peut s'interrompre à tout instant ? Lorsque l'on veut réaliser un projet ou entreprendre une activité, quelle qu'elle soit, avec l'assurance de la mener à bien, il faut être sûr de procéder de la bonne manière. Certaines choses sont à faire et d'autres à éviter. Le marin en haute mer, le guide de montagne ou l'artisan consciencieux savent qu'on n'obtient rien de bon en obéissant au caprice du moment. C'est d'autant plus vrai si le but que l'on poursuit, c'est se libérer de la souffrance. Mais comment savoir quelle est la bonne manière de procéder ? Il n'est pas question ici de s'appuyer sur un dogme pour discriminer entre le « bien » et le « mal », ou de se conformer à des conventions préétablies. Il s'agit simplement de respecter avec lucidité les mécanismes du bonheur et de la souffrance tels qu'on peut les observer par soi-même si l'on est suffisamment attentif. Tant que l'on garde sa main dans le feu, il est vain d'espérer échapper à la brûlure. Par ailleurs, vouloir à tout prix être certains des conséquences de nos choix n'est pas, tant s'en faut, une attitude judicieuse. S'il est difficile de prévoir toutes les conséquences de nos actes, quoi que nous fassions et en toutes circonstances, il nous est au moins possible d'examiner notre motivation et de nous assurer que notre but est non seulement notre bien véritable, mais aussi et surtout celui d'autrui.

Méditation

Recueillons-nous au plus profond de nous-mêmes et reconnaissons que nous désirons être affranchis de la souffrance et trouver le bonheur authentique. Prenons sincèrement conscience du fait que tous les êtres vivants souhaitent la même chose. Considérons les enchaînements de causes et des conséquences qui font que certains types de pensée, de parole et d'action – ceux, par exemple qui sont inspirés par la haine, l'avidité, la jalousie et l'arrogance – engendrent la souffrance et que d'autres qui procèdent de la bienveillance et de la sagesse mènent à une satisfaction profonde. Tirons-en les conclusions qui s'imposent concernant ce qu'il faut faire ou ne pas faire, et soyons déterminés à les mettre en pratique.

Source d'inspiration

Tout en voulant lui échapper,
Nous nous jetons dans la souffrance ;
Nous aspirons au bonheur mais, par ignorance,
Le détruisons comme s'il était notre ennemi.

Shantidéva[2]

Nous avons vu précédemment que notre situation est loin d'être satisfaisante et qu'une transformation est non seulement désirable mais possible. Nous pouvons certes nous distraire de multiples façons pour oublier les aspects insatisfaisants de l'existence, ou les masquer sous toutes sortes de déguisements attrayants – activités incessantes, flot d'expériences sensorielles, poursuite de la richesse, du pouvoir et de la renommée –, mais la réalité finira toujours par refaire surface avec son lot de souffrances. Il vaut donc mieux regarder cette réalité en face et se décider à déraciner les véritables causes du malheur tout en cultivant celles du bonheur authentique.

Méditation

Pendant quelques instants, prenons conscience de notre potentiel de changement. Quelle que soit notre situation actuelle, il nous est toujours possible d'évoluer, de nous transformer. Nous pouvons au moins modifier notre façon de percevoir les choses et, graduellement, notre manière d'être. Soyons au plus profond de nous-mêmes déterminés à nous libérer de notre situation présente, et cultivons l'enthousiasme et la persévérance qui nous permettront de développer nos qualités latentes.

Source d'inspiration

« En courant toute sa vie après des buts mondains – le plaisir, le gain, les louanges, la renommée, etc. – on gaspille son temps, tel un pêcheur qui jetterait ses filets dans une rivière à sec. Ne l'oubliez pas et veillez à ce que votre vie ne s'épuise pas en vaines poursuites. »

Dilgo Khyentsé Rinpotché[3]

Bien souvent, notre esprit est emporté par une multitude d'enchaînements de pensées où se mêlent réminiscences et projections dans le futur. Nous sommes distraits, dispersés, confus, et de ce fait déconnectés de la réalité la plus immédiate et la plus proche de nous. À peine percevons-nous ce qui se passe à l'instant même : le monde qui nous entoure, nos sensations, la façon dont nos pensées s'enchaînent, et surtout la conscience omniprésente que nos cogitations obscurcissent. Nos automatismes de pensée sont aux antipodes de la pleine conscience. Celle-ci consiste à être parfaitement éveillé à tout ce qui surgit en soi et autour de soi, d'un instant à l'autre, à tout ce que nous voyons, entendons, ressentons ou pensons. À cela s'ajoute une *compréhension* de la nature de ce que nous percevons, libre des déformations que provoquent nos attirances et nos rejets. La pleine conscience possède également *une composante éthique* qui permet de discerner s'il est bénéfique ou non d'entretenir tel ou tel état d'esprit et de poursuivre ce que l'on fait à l'instant présent.

Le passé n'est plus, l'avenir n'a pas encore surgi, et le présent, paradoxalement, est à la fois insaisissable, puisqu'il ne s'immobilise jamais, et immuable – comme l'écrivait un physicien célèbre, « le présent est la seule chose qui n'ait pas de fin[4] ». Cultiver la pleine conscience du moment présent ne signifie pas que l'on ne doit pas tenir compte des leçons du passé ni faire des projets pour l'avenir, mais que l'on doit vivre lucidement l'expérience actuelle qui les englobe.

Méditation 1

Observons ce qui se présente à notre conscience, sans lui surimposer quoi que ce soit, sans nous laisser attirer ni repousser. Contemplons ce qui est présent devant nous, une fleur par exemple, écoutons attentivement les bruits proches ou lointains, humons les parfums et les odeurs, sentons la texture de ce que nous touchons, enregistrons nos diverses sensations en percevant clairement ce qui les caractérise. Soyons entièrement présents à ce que nous faisons, que nous marchions, soyons assis, en train d'écrire, de faire la vaisselle ou de boire une tasse de thé. Il n'y a plus de tâches « plaisantes » ou « déplaisantes », car la pleine conscience ne dépend pas de ce que l'on fait, mais de la manière dont on le fait, à savoir avec une présence d'esprit claire et paisible, attentive et émerveillée par la qualité du moment présent, en se gardant d'ajouter à la réalité nos constructions mentales.

Lorsque nous effectuons cette pratique, nous cessons d'osciller interminablement entre l'attirance et le rejet : nous sommes simplement attentifs, lucides, conscients de chaque perception ou sensation, de chaque pensée qui surgit puis disparaît. Ressentons la fraîcheur de ce moment présent. N'engendre-t-elle pas en nous une expérience vaste, lumineuse et sereine ?

Source d'inspiration

« Lorsque vous entendez un son pendant la méditation, portez simplement votre attention sur l'expérience d'entendre. Cela et rien que cela [...] Pas de cinéma mental. Pas de concept. Pas de dialogue intérieur sur le sujet. Simplement des bruits. La réalité est d'une élégance simple et sans fioritures. Lorsque vous entendrez un son, soyez attentif au processus d'entendre. Tout le reste est du bavardage surajouté. Laissez-le tomber. »

Bhante Henepola Gunaratna[5]

Méditation 2
La marche attentive

Voici une méthode pratiquée par nombre de méditants pour cultiver la pleine conscience. Elle consiste à marcher en restant totalement concentré sur chaque pas. Il faut marcher assez lentement pour que nous restions pleinement conscients de nos moindres mouvements, mais pas au point de perdre l'équilibre. À chaque pas, prenons conscience de notre équilibre, de la façon dont nous posons le talon au sol, puis progressivement l'ensemble du pied, et comment l'autre pied décolle du sol pour aller se poser un peu plus loin. Dirigeons notre regard vers le bas, à quelque pas devant nous, et gardons pour principal objet de concentration la marche elle-même. Si nous ne disposons pas de beaucoup d'espace, allons et venons en marquant une pause de quelques instants chaque fois que nous faisons demi-tour, tout en demeurant dans la pleine conscience de cette suspension du mouvement.

Nous pouvons aussi combiner la marche attentive avec la pleine conscience de tout ce que nous rencontrons, voyons, entendons et ressentons, comme il est expliqué ci-dessous.

Source d'inspiration

« Marcher pour le simple plaisir de marcher, librement et avec assurance, sans se presser. On est présent à chaque pas que l'on effectue. Si l'on veut parler, on s'arrête de marcher et on accorde toute son attention à la personne qui se trouve devant soi, au fait de parler et d'écouter... Arrêtons-nous, regardons autour de nous et voyons comme la vie est belle : les arbres, les nuages blancs et l'infinité du ciel. Écoutez les oiseaux, goûtez la légèreté de la brise. Marchons comme des êtres libres et sentons nos pas s'alléger au fur et à mesure que nous marchons. Apprécions chaque pas que nous faisons. »

Thich Nhat Hanh[6]

La méditation a pour but de libérer l'esprit de l'ignorance et de la souffrance. Comment s'y prendre ? Là encore le simple souhait d'y parvenir ne suffit pas. Il faut appliquer une méthode systématique qui permette de débarrasser l'esprit des voiles qui l'obscurcissent. Comme c'est l'esprit lui-même qui doit se charger de cette tâche, assurons-nous d'abord qu'il en est capable. S'il ne tient pas en place un seul instant, comment pourrait-il se libérer de son ignorance ? L'esprit ressemble à un singe entravé par de nombreux liens, qui ne cesserait de sauter dans tous les sens pour se détacher. Il gesticule tant et si bien qu'il empêche quiconque, y compris lui-même, de défaire un seul nœud. Il faut commencer par le pacifier et le rendre attentif. Calmer le singe ne signifie pas l'immobiliser en le gardant enchaîné. Le but est de profiter de ce répit pour lui rendre la liberté. On utilisera pareillement la maîtrise qui accompagne l'esprit lorsqu'il est calme, attentif, clair et maniable pour le libérer des liens créés par les pensées vagabondes, les émotions conflictuelles et la confusion.

Les automatismes de pensée, entretenus par nos tendances et nos habitudes, de même que la distraction et les fabrications conceptuelles qui déforment la réalité, sont autant d'obstacles à l'atteinte de ce but. Il faut donc remédier à ces conditions défavorables. Maîtriser l'esprit ne signifie pas lui imposer de nouvelles contraintes qui le rendraient encore plus étriqué et tendu ; c'est au contraire l'affranchir de l'emprise des conditionnements mentaux et des conflits intérieurs entretenus par les pensées et les émotions.

Pour reconnaître la nature véritable de l'esprit, il faut par conséquent ôter les voiles engendrés par les automatismes de pensée. Comment s'y prend-on ? Supposons que nous ayons fait tomber une clef au fond d'un étang. Si nous prenons un bâton et remuons la vase, nous rendrons l'eau complètement opaque et nous n'aurons aucune chance de retrouver la clef. Nous devons d'abord laisser l'eau se décanter jusqu'à ce qu'elle devienne limpide, après quoi il sera plus facile de discerner la clef et de la repêcher. De même, il faut commencer par laisser l'esprit devenir clair, calme et attentif. Ensuite, il sera possible d'utiliser ces nouvelles qualités pour en cultiver d'autres, comme l'amour altruiste, la compassion, et pour acquérir une vision profonde de la nature de l'esprit.

Pour atteindre ce but, toutes les écoles du bouddhisme enseignent deux types de méditations fondamentales et complémentaires : le « calme mental », appelé *shamatha* en sanskrit, et la « vision pénétrante » (skt. *vipashyana*), dont nous parlerons plus tard. *Shamatha* est l'état d'esprit apaisé, clair et parfaitement concentré sur son objet. *Vipashyana* est la vision pénétrante de la nature de l'esprit et des phénomènes, à laquelle on parvient en analysant minutieusement la conscience, puis en ayant recours à la pratique contemplative, à l'expérience intérieure. *Vipashyana* permet de démasquer les illusions et, par conséquent, de ne plus être victime des émotions perturbatrices. En résumé, *shamatha* prépare le terrain en faisant de l'esprit un outil maniable, efficace et précis, tandis que *vipashyana* libère l'esprit du joug des afflictions mentales et des voiles de l'ignorance.

Notre esprit est la plupart du temps instable, capricieux, désordonné, ballotté entre l'espoir et la crainte, égocentrique, hésitant, fragmenté, confus, parfois même absent, affaibli par les contradictions internes et le sentiment d'insécurité. De plus, il est rebelle à tout entraînement et se trouve constamment occupé par son bavardage intérieur qui maintient un « bruit de fond » dont nous sommes à peine conscients.

Ce dysfonctionnement n'est rien d'autre qu'une production de l'esprit lui-même. Il est donc logique qu'il soit également lui-même en mesure d'y remédier. Tel est le but de la pratique de *shamatha* et de *vipashyana*.

En bref, il s'agit de passer graduellement d'un état d'esprit soumis aux conditions défavorables que nous venons de décrire à un autre dans lequel prévalent l'attention stable, la paix intérieure, la capacité de gérer les émotions, la confiance, le courage, l'ouverture aux autres, la bienveillance et d'autres qualités qui caractérisent l'esprit lorsqu'il est vaste et serein.

Dans un premier temps, la pratique de *shamatha* vise donc à apaiser le tourbillon des pensées. À cette fin, nous aiguiserons notre pouvoir de concentration en prenant comme support quelque chose auquel nous prêtons rarement attention : le va-et-vient de notre souffle.

En temps normal, à moins d'être hors d'haleine à la suite d'un effort, de retenir notre souffle ou de respirer profondément pour remplir nos poumons d'air pur, nous sommes à peine conscients de notre respiration. Pourtant, respirer est presque synonyme d'être en vie. Puisque nous respirons sans cesse, prenons cet acte comme support de concentration, nous disposerons d'un outil précieux, car toujours disponible, qui servira en outre de point de référence pour juger de notre distraction ou de notre concentration.

Cette pratique comporte trois étapes indispensables : 1. *tourner l'attention* vers un objet choisi (ici la respiration) ; 2. *maintenir l'attention* sur cet objet ; 3. *être pleinement conscient* de ce qui le caractérise[7].

Méditation sur le va-et-vient du souffle

Asseyons-nous confortablement, si possible en adoptant la posture en sept points décrite précédemment, ou tout au moins en nous tenant bien droit dans une position physique équilibrée. Ici, la pleine conscience consiste à rester continuellement présents à notre souffle, sans l'oublier ni nous laisser distraire.
Respirons calmement et naturellement. Concentrons toute notre attention sur le souffle qui va et vient. Soyons particulièrement présents à la sensation que crée le passage de l'air dans les narines, à l'endroit où nous le percevons avec le plus d'acuité. Selon le cas, ce sera l'entrée du nez, ou un peu plus à l'intérieur, ou encore

plus haut dans les sinus. Notons également le moment où le souffle est suspendu, entre l'expiration et l'inspiration suivante. Puis, en inspirant, concentrons-nous à nouveau sur le point où nous sentons l'air passer. Notons, de même, le moment où la respiration s'arrête une seconde entre cette inspiration et l'expiration qui va suivre.

Concentrons-nous de façon identique sur le cycle suivant, et ainsi de suite, respiration après respiration, sans tension aucune, mais sans non plus nous relâcher au point de tomber dans la torpeur. La conscience du souffle doit être limpide et sereine. Le Bouddha utilisait l'image de l'averse qui dissipe les masses de poussière soulevée par le vent pour laisser place au ciel pur et lumineux. La poussière représente l'agitation et la confusion mentale, l'averse bienfaisante la concentration sur le souffle, et l'air pur le calme et la clarté intérieurs.

Ne modifions pas intentionnellement le rythme de notre respiration. Notre souffle se ralentira sans doute un peu, mais cela doit se faire naturellement. Que notre respiration soit longue ou courte, soyons simplement conscients du fait qu'elle est longue ou courte.

Tôt ou tard nous tomberons soit dans la distraction accompagnée d'une prolifération des pensées, soit dans un état vague de semi-somnolence, soit encore dans une combinaison des deux, c'est-à-dire un état confus traversé par des suites de pensées erratiques. C'est là que la vigilance doit intervenir : dès que nous nous rendons compte que notre concentration s'est perdue, reprenons-la simplement, sans surenchérir par du regret ou de la culpabilité. Retournons simplement au souffle, comme le papillon qui revient sur une fleur après avoir voleté à droite et à gauche sans raison apparente.

Lorsque des pensées surgissent, n'essayons pas de les arrêter – ce qui n'est d'ailleurs pas possible puisqu'elles sont déjà présentes –, évitons simplement de les alimenter : laissons-les traverser le champ de notre conscience comme l'oiseau passe dans le ciel sans laisser de traces.

Parfois, nous pourrons aussi, pendant quelques instants, choisir la distraction elle-même comme objet de concentration. Puis, dès que notre esprit est de nouveau attentif, nous redirigerons notre attention sur la respiration.

Si d'autres sensations physiques surviennent, par exemple une douleur due au fait d'être resté longtemps assis dans la même position, n'en soyons pas irrités, ne la laissons pas non plus nous submerger. Incluons-la dans la pleine conscience puis revenons à l'observation du souffle. Si la douleur s'avive au point de perturber la méditation, il est préférable de se détendre un moment, ou encore de pratiquer quelque temps la « marche consciente », puis de reprendre la méditation sur le souffle avec un esprit dispos et une concentration plus vive.

Variante 1

Une méthode pour raviver la concentration lorsqu'elle devient trop ténue consiste à compter les respirations. On peut, par exemple, compter mentalement « un » à la fin d'un cycle complet du souffle, c'est-à-dire inspiration et expiration, puis « deux » à la fin du cycle suivant, et ainsi de suite jusqu'à dix, et recommencer alors à partir de « un ». Cette façon de procéder nous aide à maintenir l'attention. Si l'on préfère, on peut aussi compter « un » à la fin de l'inspiration, et « deux » à la fin de l'expiration. Cette méthode et les suivantes peuvent être appliquées de temps à autre, selon les besoins, mais il n'est pas nécessaire de compter les respirations pendant toute la durée de la méditation.

Variante 2

Une autre façon de procéder consiste à répéter mentalement et assez rapidement 1,1,1,1,1,1,1..., pendant
toute la durée de l'inspiration, puis de la même façon
2,2,2,2,2,2,2..., durant l'expiration. Pour le cycle suivant,
on comptera 3,3,3,3,3,3,3..., en inspirant, et
4,4,4,4,4,4,4..., en expirant. On poursuivra de la sorte
jusqu'à dix, puis on recommencera un nouveau cycle.
On peut également compter rapidement de 1 à 10
pendant l'inspiration et faire de même lors de l'expiration. Il existe ainsi diverses manières de compter que
l'on trouvera dans les textes plus détaillés cités en fin
d'ouvrage. Toutes ont pour but de rafraîchir la concentration lorsqu'on tombe dans la somnolence ou la distraction.

Variante 3

Au lieu d'observer le souffle lui-même, on peut aussi se
concentrer sur les mouvements de va-et-vient de
l'abdomen ou des poumons qui accompagnent la respiration.

Variante 4

Il est aussi possible d'associer une phrase simple au va-
et-vient du souffle. En expirant, par exemple, on se dira
mentalement : « Puissent tous les êtres être heureux »
et, en inspirant : « Que toutes leurs souffrances dispa-
raissent. »

Variante 5

Ceux qui pratiquent la récitation de mantras peuvent combiner la récitation silencieuse avec l'attention au souffle. Si l'on prend comme exemple le mantra « *Om mani padmé hung*[8] », qui est celui du Bouddha de la compassion (Avalokiteshvara), on récitera « *om* » en inspirant, « *mani padmé* » en expirant, et « *hung* » entre les deux.

Variante 6

Normalement, on ne doit pas influencer le va-et-vient du souffle ni s'attarder sur l'intervalle entre inspiration et expiration. Mais dans cette variante, on se concentre quelques instants sur le point de suspension du souffle, c'est-à-dire le moment où le souffle s'évanouit à la fin de l'expiration. C'est aussi le point où les pensées discursives sont temporairement suspendues. Pendant ce bref moment, demeurons au repos dans cet espace limpide, sereins et libres de constructions mentales. Sans pour autant conceptualiser cette expérience, reconnaissons qu'elle représente un aspect fondamental de notre esprit, qui est toujours présent derrière le rideau des pensées.

Ces diverses variantes peuvent être pratiquées à notre convenance dans le but d'améliorer notre concentration.

Il y a bien d'autres manières de cultiver la concentration et le calme mental. Ces méthodes sont de deux sortes, selon que l'on a recours ou non à un objet. Cet objet peut être le va-et-vient du souffle, comme nous venons de le voir, mais aussi d'autres sensations physiques, une forme extérieure ou une image que l'on aura visualisée. On peut choisir un objet extérieur tout à fait ordinaire : un caillou, une fleur ou la flamme d'une bougie, par exemple. Comme dans le cas de la respiration, l'entraînement consiste à laisser l'esprit reposer attentivement sur l'objet choisi, et à le ramener sur celui-ci dès que l'on s'aperçoit que l'on s'est laissé distraire.

L'objet peut aussi être une représentation symbolique ou figurative associée au chemin spirituel, par exemple une peinture ou une statue du Bouddha. On commencera par se concentrer suffisamment longtemps sur cette représentation, afin d'avoir tous ses détails présents à l'esprit, puis on se concentrera sur la représentation mentale de ce support. Voici, résumées, des instructions orales données par Dilgo Khyentsé Rinpotché à ce sujet :

Méditation

Asseyez-vous dans la posture en sept points. Laissez votre esprit s'apaiser quelques instants, puis visualisez le bouddha Shakyamouni dans l'espace devant vous. Il est assis sur un disque de lune, lequel repose sur un lotus et sur un trône soutenu par huit lions. Son corps est resplendissant comme une montagne d'or. De sa main droite, il touche le sol près de son genou droit, faisant le geste de prendre la terre à témoin. Sa main gauche repose dans son giron, dans le geste de l'équanimité, et il tient un bol d'aumône rempli de nectar. Il est vêtu des trois robes monastiques et de son corps émanent d'infinis rayons de lumière de sagesse et de compassion qui emplissent l'univers. Donnez vie à cette image. Pensez que le Bouddha que vous visualisez n'est pas inerte comme un dessin ou une statue. Il n'est pas non plus fait de chair et d'os : son corps est lumineux et transparent comme un arc-en-ciel, rayonnant de sagesse et de compassion.

Concentrez-vous entièrement sur la visualisation, chaque détail étant le plus net possible. Portez votre attention sur l'ovale parfait du visage, sur les yeux empreints de sagesse et d'amour, sur le nez et les oreilles aux proportions harmonieuses, sur le sourire, et sur les rayons de lumière qui émanent du corps. Étendez progressivement votre concentration à tous les détails de la forme du Bouddha, de haut en bas et de bas en haut, avec la même minutie que le ferait un peintre.

Pour affirmer votre concentration, neutralisez sur-le-champ tout ce qui peut perturber votre esprit. Si celui-ci s'agite, si vos pensées s'emballent et vous empêchent d'obtenir une image claire, baissez légèrement le regard, qui est normalement posé dans l'espace, pour vous concentrer sur la partie inférieure du Bouddha : les jambes croisées, le trône soutenu par des lions, ou le siège de lotus. Cela vous aidera à réduire votre agitation mentale.

Si votre esprit sombre dans la torpeur, le relâchement ou une morne indifférence, levez le regard et concentrez-vous sur la partie supérieure de la visualisation : le visage du Bouddha, ses yeux, le point entre ses sourcils.

Si votre visualisation n'est pas claire, essayez inlassablement de la rendre plus fine et plus précise. Si elle est claire, concentrez-vous sur elle de manière naturelle, sans tension.

Quand votre esprit devient stable et paisible, examinez-le. Comprenez que l'image que vous visualisez n'est pas le Bouddha lui-même, mais une projection de votre esprit dont le but est de cultiver la concentration. Bien que cet esprit ait la faculté de se concentrer sur un objet, si vous essayez de le voir tel qu'il est en lui-même, vous ne le découvrirez nulle part. Il est impossible de localiser l'esprit, d'identifier ses contours, sa couleur, sa forme, d'où il vient, ni de voir où il est et où il va : vous ne trouverez jamais rien. L'esprit n'est pas une entité autonome pouvant être identifiée comme telle.

Il en va de même pour le corps. Ce que nous appelons « corps » n'est qu'un assemblage d'éléments. Nous qualifions bien de « tas » un amoncellement de grains, de « botte » des brins de paille liés ensemble, et de « foule » un rassemblement de gens, mais ces désignations ne se réfèrent à aucune entité existant en soi et par soi. De même, si vous considérez cet ensemble appelé « corps » et que vous en détachiez la peau, la chair, la moelle, les os et les différents organes, il ne reste rien que vous puissiez identifier comme étant le corps.

En vérité, tous les phénomènes de l'univers apparaissent dans leur infinie variété comme le résultat d'un concours temporaire de causes et de conditions spécifiques. Nous prenons ces phénomènes pour réellement existants parce que nous ne les avons pas examinés avec suffisamment de soin. En réalité, ils sont dépourvus de toute existence intrinsèque.

Une fois qu'il vous apparaîtra clairement que votre corps, le Bouddha de votre visualisation et tous les phénomènes sont la manifestation de l'esprit et que, par nature, l'esprit n'est pas une entité douée d'existence propre, mais un flot dynamique d'expériences, restez simplement dans l'état naturel de l'esprit dénué de tout artifice. Lorsque des pensées surviendront, prenez-en conscience, sans les entraver ni les encourager. C'est ce que l'on appelle la vision profonde. Il est essentiel d'unir ainsi le calme mental, *shamatha*, et la vision profonde, *vipashyana*.

À première vue, il peut sembler que la méditation informelle et sans objet soit plus facile que la méditation avec objet. En fait, il est plus difficile de garder son esprit clair et concentré sur lui-même dans un état de pleine conscience que de se concentrer sur quelque chose. La raison en est qu'il est difficile de ne « penser à rien ». La concentration sur un objet implique une certaine activité mentale liée à l'attention, et même s'il est difficile de maintenir cette concentration, cela reste toutefois plus aisé que de laisser son esprit dans un état de parfaite simplicité exempt de toute construction mentale. Cela dit, la concentration sans objet est l'aboutissement naturel de la concentration avec objet et représente un pas de plus vers la compréhension de la nature fondamentale de l'esprit par l'expérience directe.

Méditation

Tournons notre esprit vers l'intérieur et laissons-le contempler sa qualité première qui est simplement de « connaître ». Cette faculté, la pleine conscience à l'état pur, illumine toute pensée et toute perception. C'est une qualité constante et fondamentale du flux de la conscience. Nous pouvons en faire l'expérience même en l'absence de pensées et d'images mentales. Essayons d'identifier cet aspect primordial de toute expérience, puis laissons notre esprit reposer quelques instants dans cette pleine conscience non-duelle, claire et lucide, dénuée de concepts et de pensées discursives.

Sources d'inspiration

Présence transparente, infinie ouverture,
Sans dehors ni dedans ;
Tout embrassante,
Sans frontière ni direction.

Immensité infinie de la vue,
Véritable condition de l'esprit,
Tel l'espace du ciel,
Qui n'a ni centre, ni périphérie,
Ni référence.

Shabkar

Tout entraînement implique des efforts, et tout changement rencontre naturellement des résistances. Dans le cas de l'entraînement de l'esprit et de la méditation, différents obstacles peuvent ralentir notre progression. Les instructions traditionnelles sur la méditation incluent au nombre de ces obstacles la paresse, la torpeur et son contraire, l'agitation distraite, ainsi que le manque de persévérance et son opposé, l'effort excessif.

La paresse, que l'on rapproche de l'indolence et du manque de motivation, peut prendre plusieurs formes. La paresse ordinaire est le défaut de ceux qui répugnent à tout effort. Son antidote consiste à se rappeler la valeur de l'existence humaine et de chaque instant qui passe, et à contempler les bienfaits de la transformation intérieure. Ces réflexions permettent de raviver l'inspiration et l'enthousiasme.

Une autre forme de paresse consiste à penser : « Ça, ce n'est pas pour moi, c'est au-delà de mes capacités ; je préfère ne pas m'y engager. » En somme, on renonce à la course avant même d'avoir franchi la ligne de départ. Pour contrecarrer cet obstacle, estimons à sa juste valeur le potentiel de transformation qui existe en nous-même et envisageons le but de l'existence d'un point de vue plus vaste.

Troisième forme de paresse : ne pas être déterminé à réaliser d'abord ce que l'on sait être le plus important et, au lieu de cela, dilapider son temps en activités mineures. Pour y remédier, nous devons établir une hiérarchie dans nos préoccupations, et nous souvenir que notre temps est compté, alors que les activités ordinaires n'ont pas plus de fin que les vagues sur l'océan.

La *distraction* est le parasite le plus commun de la méditation. Quel pratiquant n'en a pas été victime ? Elle est tout à fait normale, puisque nous entreprenons cette pratique avec un esprit indiscipliné et chaotique ; nous ne pouvons raisonnablement pas espérer qu'il va se calmer sur-le-champ. Il n'y a donc aucune raison de désespérer. Le but de la méditation est précisément de rendre l'esprit souple et maniable, concentré ou détendu à volonté, et, surtout, libéré de l'emprise des afflictions mentales et de la confusion. Comme antidote à ces dernières, il faut cultiver la vigilance et, chaque fois que l'on s'aperçoit que son esprit a vagabondé, le ramener inlassablement sur l'objet de la méditation. Souvenons-nous de la raison pour laquelle nous méditons. Notre but n'est pas de perdre notre temps en laissant vagabonder les pensées, mais d'utiliser ce temps au mieux pour établir les conditions d'un vrai bonheur partagé.

La *torpeur* et l'*agitation* constituent, elles aussi, deux obstacles majeurs qui font perdre le fil de la méditation. La torpeur nuit à la clarté de l'esprit, et l'agitation à sa stabilité. La première peut aller d'une simple lourdeur d'esprit au sommeil, en passant par la léthargie, l'ennui, la rêverie éveillée ou tout autre état mental vague et nébuleux.

Ce manque de clarté constitue un obstacle d'autant plus important que l'on souhaite utiliser la concentration pour mieux comprendre la nature de l'esprit. Comme l'explique Bokar Rinpotché, un maître de méditation contemporain : « Lorsque en plein jour, nous contemplons la mer, à travers l'eau claire nous voyons les pierres et les algues du fond. La méditation doit posséder cette même qualité claire qui permet d'être pleinement conscient de la situation de notre esprit. La nuit, en revanche, la surface des flots est une masse sombre et opaque qui ne laisse pas pénétrer le regard, tout comme l'esprit lourd et enténébré, malgré une apparence stable, empêche en fait de méditer[9]. »

Pour contrecarrer cet état, il est conseillé d'adopter une posture plus droite et tonique, de regarder plutôt vers le haut, dans l'espace devant soi, et de porter moins de vêtements si l'on est trop couvert. Il faut aussi raviver son attention et mettre l'accent sur la pleine conscience du moment présent.

L'agitation est une forme de distraction hyperactive dans laquelle l'esprit produit en chaîne des pensées entretenues par les automatismes et l'imagination. Cette agitation fiévreuse ne cesse de nous emporter loin de notre objet de concentration. Nous sommes assis tranquillement, mais notre esprit fait le tour du monde. Dans ce cas, relâchons un peu notre posture physique, baissons le regard, et reprenons nos sens en nous rappelant pourquoi nous sommes là et quel est le but de nos efforts.

Tout entraînement requiert des efforts réguliers. Le *manque de persévérance* diminue considérablement les effets de la méditation et affaiblit par là son pouvoir de nous transformer. Ainsi que nous l'avons souligné au début, un gros effort de temps à autre n'a pas le même effet bénéfique qu'un effort moins spectaculaire mais continu. Il ne suffira pas à transformer l'esprit de façon profonde et durable. Là encore, il faut remédier à cette faiblesse en réfléchissant à la valeur du temps qui passe, à l'incertitude de la durée de notre vie, et aux bienfaits de l'entraînement dans lequel nous sommes engagés.

On peut aussi tomber momentanément dans l'excès contraire, à savoir l'*effort excessif,* du fait que l'on a remédié à la nonchalance plus longtemps que nécessaire. La tension qui en résulte finit par distraire de la méditation elle-même. Il faut donc équilibrer ses efforts, autrement dit conserver un juste milieu entre tension et relâchement, comme le Bouddha l'avait conseillé au joueur de *vina* dont nous avons parlé, et cesser d'appliquer un antidote lorsqu'il n'est plus nécessaire, laissant l'esprit reposer calmement dans son état naturel.

L'effort excessif peut aussi résulter de l'impatience ou de l'exaltation, deux états qui ne mènent nulle part. Si, pour gravir une haute montagne, on commence par courir, on devra vite s'arrêter, les poumons en feu. De même, si l'on bande trop un arc, il se brisera, et si l'on règle le feu trop fort pour cuire un plat, celui-ci brûlera au lieu de mijoter.

Exiger un résultat immédiat relève du caprice ou de la paresse. Le Dalaï-lama dit avec humour : « En Occident, les gens sont parfois un peu trop pressés. Ils aimeraient atteindre l'Éveil rapidement, facilement et, si possible... à peu de frais ! » De même qu'il faut de la patience pour faire pousser une récolte – il ne sert à rien de tirer sur les plants pour les faire sortir plus vite ! –, la constance est indispensable à la pratique de la méditation.

Les textes de méditation enseignent neuf méthodes pour cultiver l'attention, établir l'esprit dans l'équanimité et le rendre plus stable. Rappelons que, dans ce cas, la pleine conscience consiste à rester sans cesse attentif à l'objet de concentration choisi.

1. Concentrer l'esprit, même si ce n'est que *brièvement* au début, sur un objet, conformément aux instructions, en évitant qu'il ne se laisse entraîner par des images ou des pensées discursives.

2. Poser l'esprit *continuellement* sur cet objet, pendant une période de temps accrue, sans tomber dans la distraction. Pour y parvenir, il faut se rappeler très clairement les enseignements sur la façon de maintenir l'esprit concentré sur son support, les garder en mémoire et les mettre en pratique avec soin.

3. Poser l'esprit *de façon répétée* en le ramenant rapidement à son objet chaque fois que l'on s'aperçoit que la distraction l'en a écarté. Pour cela, il faut reconnaître que l'esprit a été distrait, identifier l'émotion ou la pensée qui a provoqué cette distraction et mettre en œuvre l'antidote approprié. Peu à peu, on devient capable de maintenir l'esprit calme et stable pendant de plus longues périodes de temps, tout en gardant une concentration plus claire.

4. Poser l'esprit *avec soin* : plus l'esprit est ferme, plus il est précisément concentré, plus on est enclin

à méditer. Même si l'attention n'est pas encore parfaite, on arrive à ne plus perdre complètement le support de sa méditation, et on est libéré des formes les plus perturbantes de l'agitation mentale.

5. *Maîtriser* l'esprit : lorsque la concentration sombre dans la torpeur, on ravive l'acuité et la clarté de la présence éveillée et on renouvelle l'inspiration et l'enthousiasme en considérant les bienfaits de la concentration parfaite (*samadhi*).

6. *Pacifier* l'esprit : lorsque l'acuité devient trop contraignante, que la concentration est ébranlée par l'agitation mentale subtile qui prend la forme d'une petite conversation discrète en arrière-plan de l'attention, le fait de considérer les écueils de l'agitation et de la distraction calme l'esprit et le rend clair et limpide, à l'image d'un son pur émis par un instrument de musique bien accordé.

7. *Pacifier complètement* l'esprit en ayant recours à l'attention soutenue et enthousiaste afin d'abandonner tout attachement aux expériences méditatives. Celles-ci peuvent revêtir plusieurs aspects tels que la félicité, la clarté ou l'absence de pensées discursives, et se traduire aussi par des mouvements spontanés d'allégresse ou de tristesse, de confiance inébranlable ou de peur, d'exaltation ou de découragement, de certitude ou de doute, de renoncement aux choses de ce monde ou de passion, de dévotion intense ou de vues négatives. Toutes ces expériences peuvent survenir sans raison apparente. Elles sont le signe que des changements profonds se produisent dans notre esprit. Il faut se garder de s'identifier à ces expériences et ne pas leur accorder plus d'importance

qu'aux paysages que l'on voit défiler par la fenêtre d'un train. Grâce à l'attention parfaitement pacifiée, ces expériences s'évanouiront d'elles-mêmes sans troubler l'esprit, et celui-ci connaîtra alors une profonde paix intérieure.

8. *Garder l'attention concentrée en un point* : après avoir éliminé la torpeur et l'agitation mentale, garder l'attention stable et claire sur un point pendant toute une séance de méditation. L'esprit est alors comme une lampe protégée du vent, dont la flamme, stable et lumineuse, éclaire au maximum de ses capacités. Il suffit d'un effort minimal pour établir l'esprit dans le flux de la concentration où il se maintient ensuite sans difficulté, demeurant dans son état naturel, libre de contraintes et de perturbations.

9. *Reposer dans un état de parfait équilibre* : lorsque l'esprit est pleinement familiarisé avec la concentration sur un seul point, il demeure dans un état d'équanimité qui advient spontanément et se perpétue sans effort.

Graduellement, l'esprit s'apaisera. Pourtant, au début, c'est tout le contraire qui semble se produire. Lorsqu'on essaie de calmer l'esprit, on a l'impression d'avoir davantage de pensées qu'auparavant. En vérité, ce n'est pas tant que leur nombre a soudainement augmenté, c'est que l'on prend tout à coup conscience de leur foisonnement. Nous avons mentionné qu'il n'est ni possible ni désirable de bloquer les pensées. Il est important, en revanche, d'en maîtriser le processus si l'on veut éliminer les causes de la souffrance et permettre l'épanouissement du bonheur authentique. Les automatismes de pensée ne font que renforcer notre dépendance à l'égard des causes de la souffrance, alors que la méditation régulière, loin d'engendrer une sorte d'hébétement ou d'abolir toute spontanéité, conduit à la liberté qui accompagne la maîtrise de l'esprit et la paix intérieure. Les textes bouddhistes illustrent la pacification du tourbillon des pensées par la métaphore d'une cascade mugissante qui peu à peu se calme à mesure qu'elle chemine dans la plaine pour finalement rejoindre le vaste océan. Cette progression de la méditation comporte cinq étapes, illustrée par cinq images :

— la cascade qui se jette d'une falaise : les pensées s'enchaînent sans discontinuer ; elles paraissent plus nombreuses parce que l'on prend conscience des mouvements de l'esprit ;

– le torrent qui dévale des gorges : l'esprit alterne entre périodes de repos et d'activité ;

– le large fleuve qui s'écoule sans encombre : l'esprit s'agite lorsqu'il est perturbé par les événements, sinon il demeure calme ;

– le lac ridé par quelques vagues : l'esprit est faiblement agité en surface, mais demeure calme et présent en profondeur ;

– l'océan paisible : la concentration inébranlable et sans efforts n'a plus besoin de recourir aux antidotes contre les pensées vagabondes.

Une telle progression ne s'accomplit pas en une journée, ni même en quelques semaines, mais, tôt ou tard, vient le moment où l'on constate un réel progrès. Nous acceptons volontiers qu'il faille du temps et de la persévérance pour maîtriser un art, un sport, une langue ou n'importe quelle autre discipline. Par quel mystère n'en serait-il pas de même de l'entraînement de l'esprit ? L'aventure en vaut la peine : il ne s'agit pas d'acquérir une aptitude ordinaire, mais une maîtrise et une manière d'être qui détermineront la qualité de toute notre vie.

Source d'inspiration

Au début, rien ne vient,
Au milieu, rien ne reste,
À la fin, rien ne part.

Milarépa

Nous avons tous fait, à des degrés divers, l'expérience d'un profond amour altruiste, d'une grande bienveillance, d'une compassion intense pour ceux qui souffrent. Certains êtres sont naturellement plus altruistes que d'autres, parfois jusqu'à l'héroïsme. D'autres sont plus repliés sur eux-mêmes et ont du mal à considérer le bien d'autrui comme un but essentiel, et encore davantage à le faire passer avant leur intérêt personnel. Il est pourtant essentiel de cultiver l'altruisme, car non seulement il nous permet d'accomplir le bien des autres, mais il représente également pour nous-même la manière d'être la plus satisfaisante qui soit. Le sentiment exacerbé de l'importance de soi n'engendre en réalité que tourment.

De manière générale, même si des pensées altruistes surgissent dans notre esprit, elles sont assez vite remplacées par d'autres, moins nobles, comme la colère ou la jalousie. C'est pourquoi, si nous souhaitons que l'altruisme prédomine en nous, il importe que nous passions du temps à le cultiver, car là encore, un simple souhait ne suffit pas.

Méditer, nous l'avons vu, c'est se familiariser avec une nouvelle manière d'être. Comment va-t-on méditer sur l'altruisme ? Il faut tout d'abord prendre conscience qu'au plus profond de soi on redoute la souffrance et on aspire au bonheur. Une fois reconnue cette aspiration, il faut ensuite prendre conscience du fait que tous les êtres la partagent. Et que le droit de ne pas souffrir, si souvent bafoué, est sans doute le plus fondamental chez les êtres vivants. Enfin, il faut réaliser qu'un remède existe à cette souffrance. Il est possible d'éprouver de façon plus positive les douleurs physiques – auxquelles nous sommes tous inexorablement confrontés –, de sorte qu'elles engendrent moins de souffrances morales. Ces dernières, quant à elles, peuvent être graduellement éliminées.

Malheureusement, lorsqu'il s'agit de choisir les moyens de fonder le bonheur et de prévenir la souffrance, nous sommes souvent très maladroits, quand nous ne nous fourvoyons pas totalement. Certains sombrent dans les plus profondes aberrations et recherchent aveuglement leur bonheur au prix de la souffrance des autres. Il serait absurde de souhaiter à un dictateur sanguinaire de réussir dans ses funestes entreprises au nom d'un altruisme mal compris. En revanche, nous pouvons certainement aspirer à ce qu'il se libère de la haine qui l'incite à nuire aux autres et à faire accessoirement son propre malheur. Il s'agit là d'un altruisme bien compris, car cette dernière aspiration vise réellement le bien de tous les êtres. De façon générale, désirons sans réserve que chacun des êtres sensibles soit délivré des causes de la souffrance. Dans ce but, les textes bouddhistes conseillent de cultiver quatre pensées ou attitudes particulières, et de les accroître sans limites. Il s'agit de l'amour altruiste, de la compassion, de la joie devant le bonheur d'autrui et de l'impartialité.

Méditation
L'amour altruiste

Imaginons un jeune enfant qui s'approche de nous et nous regarde joyeux, confiant et plein d'innocence. Nous lui caressons la tête en le contemplant avec tendresse et le prenons dans nos bras, tandis que nous ressentons un amour et une bienveillance inconditionnels. Laissons-nous imprégner entièrement par cet amour qui ne veut rien d'autre que le bien de cet enfant. Demeurons quelques instants dans la pleine conscience de cet amour, sans autre forme de pensée.

Nous pouvons aussi choisir n'importe quelle autre personne envers qui nous éprouvons une grande tendresse et une profonde reconnaissance, notre mère par exemple. Souhaitons de tout cœur qu'elle trouve le bonheur et les causes du bonheur, puis étendons cette pensée à tous ceux qui nous sont proches, puis à ceux que nous connaissons moins, puis progressivement à tous les êtres.

Enfin, souhaitons-le à nos ennemis personnels et aux ennemis de toute l'humanité. Dans ce dernier cas, cela ne signifie évidemment pas que nous leur souhaitons le succès dans leurs projets funestes. Nous formons simplement le vœu ardent qu'ils abandonnent leur haine, leur avidité, leur cruauté ou leur indifférence, et que la bienveillance et le souci du bonheur d'autrui voient le jour dans leur esprit. Plus la maladie est grave, plus le malade a besoin de soins, d'attention et de bienveillance.

Embrassons ainsi la totalité des êtres dans un sentiment d'amour illimité.

La compassion

Imaginons maintenant qu'un être qui nous est cher est victime d'un terrible accident, la nuit sur une route. Il gît ensanglanté sur le bas-côté, en proie à d'atroces douleurs. Les secours tardent à arriver et nous ne savons pas quoi faire. Nous ressentons intensément la souffrance de cette personne proche comme si c'était la nôtre, mêlée d'un sentiment croissant d'angoisse et d'impuissance. Cette douleur nous atteint au plus profond de nous-mêmes, au point qu'elle devient quasiment insupportable. Que faire ?

À ce moment-là, laissons-nous aller à un immense sentiment d'amour pour cette personne. Prenons-la doucement dans nos bras. Imaginons que des flots d'amour émanent de nous et se déversent en elle. Imaginons que chaque atome de souffrance est maintenant remplacé par un atome d'amour. Souhaitons du fond du cœur qu'elle survive, qu'elle guérisse et cesse de souffrir.

Ce sentiment de compassion provient de la même source que l'amour altruiste et n'est autre que l'amour appliqué à la souffrance.

Ensuite, étendons cette compassion à d'autres personnes qui nous sont chères puis, peu à peu, à l'ensemble des êtres, en formant du fond du cœur ce souhait : « Puissent tous les êtres se libérer de la souffrance et des causes de leurs souffrances. »

La réjouissance

Il y a aussi en ce monde des gens qui possèdent d'immenses qualités, d'autres qui comblent l'humanité de bienfaits et dont les projets bénéfiques ont été couronnés de succès. Il en est d'autres qui ont réalisé leurs aspirations au prix de grands efforts et d'une persévérance tenace, et d'autres encore qui possèdent de multiples talents.

Réjouissons-nous du fond du cœur de leurs accomplissements, souhaitons que leurs qualités ne déclinent pas mais au contraire demeurent et s'accroissent. Cette faculté de se féliciter des aspects les plus positifs en l'autre est le meilleur antidote au découragement et à la vision sombre et désespérée du monde et des êtres. C'est aussi le remède à l'envie et à la jalousie, lesquelles reflètent, précisément, une incapacité à se réjouir du bonheur d'autrui.

L'impartialité

L'impartialité est une composante essentielle des trois méditations précédentes, car le souhait que tous les êtres soient délivrés de la souffrance et de ses causes doit être universel et ne dépendre ni de nos attachements personnels ni de la façon dont les autres nous traitent. Adoptons le regard du médecin qui se réjouit lorsque les autres sont en bonne santé et qui se préoccupe de la guérison des malades, quels qu'ils soient.

Prenons conscience du fait que tous les êtres sans exception, qu'ils soient proches, étrangers ou ennemis, souhaitent éviter la souffrance. Pensons également à l'interdépendance fondamentale de tous les phénomènes de l'univers et de tous les êtres qui le peuplent. L'interdépendance est le fondement même de l'altruisme. À l'image du soleil qui brille de manière égale sur les bons comme sur les méchants, sur un beau paysage comme sur une montagne d'ordures, faisons de notre mieux pour étendre à tous les êtres sans distinction l'amour altruiste, la compassion et la joie que nous avons cultivés dans les trois méditations précédentes.

Rappelons-nous une fois de plus que, dans le cas de nos adversaires et des ennemis de l'humanité entière, il ne s'agit pas d'encourager ni de tolérer passivement leur attitude et leurs actes nuisibles, mais de les considérer comme de grands malades, ou comme des fous. Et avec la même bienveillance que nous éprouvons pour nos proches, souhaitons que l'ignorance et les sentiments pernicieux qui les dominent soient éradiqués de leur conscience.

Comment combiner ces quatre méditations

Commençons par l'amour altruiste, le souhait ardent que les êtres trouvent le bonheur et les causes du bonheur. Si, au bout d'un certain temps, cet amour dérive vers l'attachement égocentrique, passons à la méditation sur l'impartialité, afin d'étendre notre amour et notre compassion à tous les êtres – proches, inconnus ou ennemis – de façon égale.

S'il advient que notre impartialité tourne à l'indifférence, c'est le moment de penser à ceux qui souffrent et d'engendrer une intense compassion, en faisant le vœu de soulager ces êtres de toutes leurs souffrances. Il se peut, toutefois, qu'à force de considérer continuellement les maux d'autrui, nous soyons envahis par un sentiment d'impuissance et d'accablement, voire de désespoir, au point de nous sentir submergés par l'immensité de la tâche, et que nous perdions courage.

Méditons alors sur la joie devant le bonheur d'autrui en pensant à tous ceux qui possèdent de grandes qualités humaines, à ceux dont les aspirations altruistes sont couronnées de succès, à ceux qui connaissent de profondes satisfactions dans l'existence, et réjouissons-nous pleinement.

Si cette joie tourne à l'euphorie aveugle et à la distraction, passons de nouveau à l'amour altruiste, et ainsi de suite. De cette façon, faisons en sorte de développer tour à tour ces quatre pensées, en évitant de tomber dans les déviations possibles de l'une ou de l'autre.

À la fin de notre méditation, contemplons quelques instants l'interdépendance de toute chose. Comprenons que, de même qu'il faut à un oiseau deux ailes pour voler, nous devons développer simultanément la sagesse et la compassion. La sagesse correspond ici à une meilleure compréhension de la réalité, et la compassion au désir que les êtres soient libérés des causes de la souffrance.

Source d'inspiration

« L'amour altruiste est le sentiment spontané d'être relié à tous les autres êtres. Ce que vous ressentez, je le ressens. Ce que je ressens, vous le ressentez. Il n'y a pas de différence entre nous [...] Lorsque j'ai commencé à pratiquer la méditation de la compassion, j'ai observé que ma sensation d'isolement commençait à s'atténuer, tandis que je ressentais de plus en plus une impression de force. Là où, auparavant, je ne voyais que des problèmes, je me mis à ne voir que des solutions. Alors que je considérais mon bonheur comme plus important que celui des autres, je commençais à percevoir le bien-être des autres comme le fondement même de ma paix intérieure. »

Yongey Mingyour Rinpotché[10]

« Je ne cesse de faire cette expérience intérieure : il n'existe aucun lien de causalité entre le comportement des gens et l'amour qu'on éprouve pour eux. L'amour du prochain est comme une prière élémentaire qui vous aide à vivre[11]. »

Etty Hillesum

Puissé-je être le protecteur des êtres sans protecteur
Et le guide de ceux qui sont en route,
Le bac, le navire et le pont de ceux qui veulent
                              [rejoindre l'autre rive !
Puissé-je être une île pour ceux qui cherchent une île,
Une lampe pour ceux qui veulent une lampe,
Un logis pour ceux qui veulent un logis
Et le serviteur de tous ceux qui veulent un serviteur !
Puissé-je pour tous être le joyau magique, l'aiguière
                              [merveilleuse,
La formule de science et la panacée,
L'arbre qui comble tous les souhaits
Et la vache au pis intarissable !
Comme la terre et les autres éléments,
Puissé-je toujours, à l'échelle de l'espace,
Être la source qui pourvoit aux multiples besoins
De la foule insondable des êtres !
Puissé-je ainsi pourvoir aux besoins des êtres
Jusqu'à la fin de l'espace en tout lieu et de tout temps
Jusqu'à ce que tous atteignent le nirvâna !

                              Shantidéva[12]

Tant que l'espace durera,
Et tant qu'il y aura des êtres,
Puissé-je moi aussi demeurer
Pour dissiper la souffrance du monde.

                              Shantidéva[13]

Une profonde souffrance peut parfois réveiller notre esprit et notre cœur et les ouvrir aux autres. Pour que cette ouverture devienne un état permanent, il existe une pratique particulière qui consiste à échanger mentalement, par le biais de la respiration, la souffrance d'autrui contre notre bonheur, et à souhaiter que notre souffrance soit un substitut à celle des autres.

Nous penserons peut-être que nous avons déjà assez de problèmes, et que c'est trop demander que d'alourdir davantage notre fardeau en prenant sur nous la souffrance d'autrui. C'est pourtant tout le contraire qui se produit. L'expérience montre que lorsque nous assumons, transformons et dissolvons mentalement la souffrance des autres par la compassion, non seulement cela n'augmente pas notre propre souffrance, mais au contraire celle-ci s'en trouve dissipée. La raison en est que l'amour altruiste et la compassion sont les antidotes les plus puissants à nos propres tourments. C'est donc une situation où tout le monde est gagnant ! En revanche, la contemplation égocentrique de nos propres douleurs, renforcée par la constante rengaine du « moi, moi, moi » qui résonne en nous, mine notre vaillance et ne fait qu'accroître notre détresse. En faisant éclater la carapace de l'égocentrisme, la contemplation altruiste de la souffrance des autres décuple au contraire notre courage.

Cette pratique de l'échange est un moyen particulièrement efficace pour développer l'altruisme et la compassion par la méditation. Lorsque nous serons confrontés à la souffrance des autres, nous serons naturellement enclins à nous comporter de façon compatissante et à leur venir en aide.

Méditation

Commençons par ressentir un puissant amour altruiste à l'égard d'une personne qui a manifesté une grande bienveillance à notre égard, notre mère par exemple. Réfléchissons à sa bonté : elle nous a donné la vie après avoir vécu les difficultés de la grossesse et les douleurs de l'accouchement ; au fur et à mesure que nous avons grandi, elle s'est occupée de nous sans ménager ses efforts et, notre bonheur primant sur le sien, elle a toujours été prête à tout sacrifier pour nous.

Afin que naisse en nous une puissante compassion, imaginons que notre mère endure d'intenses souffrances, qu'elle est privée de tout, qu'elle meurt de faim et de soif ou qu'elle est maltraitée par des êtres malfaisants. Nous pouvons imaginer encore d'autres situations douloureuses auxquelles elle est confrontée, elle ou toute autre personne que nous aurons choisie comme objet de méditation : un enfant, un ami fidèle, un animal qui nous est cher.

Tandis que nous sommes ainsi envahis par un sentiment d'empathie douloureuse quasi intolérable devant la souffrance de cet être, laissons surgir en nous un puissant sentiment de compassion. Puis, lorsque cette compassion aura envahi tout notre esprit, étendons-la à tous les êtres, en pensant qu'eux aussi ont droit au même amour.

Imaginons également, par exemple, une biche poursuivie par des chasseurs et leur meute de chiens. Acculée, en proie à la panique, elle saute d'une falaise et se brise les os ; les chasseurs la retrouvent mourante et l'achèvent avec leurs couteaux.

Laissons toutes sortes de souffrances se dessiner avec une précision graphique dans notre esprit. Représentons-nous des vieillards ou des malades en proie aux affres de la maladie, des pauvres qui ont à peine de quoi survivre. Pensons à ceux qui sont privés de tout, de même qu'à ceux qui sont victimes de leur propre esprit et souffrent jusqu'à la folie des angoisses provoquées par leurs désirs ou leur haine.

Ne manquons pas d'inclure dans cet amour et cette compassion tous ceux que nous considérons comme des ennemis et des fauteurs de troubles. Visualisons devant nous tous les êtres rassemblés en une foule immense, et rappelons-nous qu'ils ont, comme nous, souffert de maintes façons dans le cycle infini des existences.

Lorsque nous éprouvons un intense sentiment de compassion, commençons la pratique dite de l'échange. Considérons qu'au moment où nous expirons, en même temps que notre souffle nous envoyons à ceux qui souffrent tout notre bonheur, notre vitalité, notre bonne fortune, notre santé, etc., sous la forme d'un nectar blanc, rafraîchissant et lumineux. Souhaitons qu'ils reçoivent ces bienfaits sans aucune réserve et considérons que le nectar comble tous leurs besoins. Si leur vie est en danger, imaginons qu'elle est prolongée ; s'ils sont pauvres, qu'ils obtiennent tout ce qu'il leur faut ; s'ils sont malades, qu'ils guérissent ; et s'ils sont malheureux, qu'ils trouvent le bonheur.

En inspirant, considérons que nous prenons sur nous, sous la forme d'une masse noirâtre, toutes les maladies, tous les troubles physiques et mentaux, ainsi que les émotions perturbatrices de ces êtres, et que cet échange les soulage de leurs tourments. Pensons que leurs souffrances reviennent vers nous comme une brume portée par le vent. Lorsque nous avons absorbé, transformé et éliminé tous leurs maux, éprouvons une grande joie que nous mêlerons à l'expérience du non-attachement.

Réitérons cette pratique maintes fois jusqu'à ce qu'elle devienne une seconde nature. N'estimons jamais avoir assez fait pour ceux qui souffrent.

Nous pouvons appliquer cette méthode à n'importe quel moment et en toutes circonstances, en particulier lorsque nous sommes nous-mêmes souffrants. Dans ce dernier cas, le fait d'associer l'altruisme et la compassion à nos propres douleurs agit comme un baume apaisant et nous ouvre aux autres, au lieu de nous enfermer plus encore dans l'égocentrisme. Nous pouvons faire cet exercice en dehors des séances de méditation ou l'intégrer à notre entraînement méditatif, et l'appliquer à toutes les activités de la vie quotidienne.

Variante 1

Lorsque nous expirons, pensons que notre cœur est une brillante sphère lumineuse d'où émanent des rayons de lumière blanche portant notre bonheur à tous les êtres, dans toutes les directions.

Quand nous inspirons, prenons sur nous leurs tourments sous la forme d'une nuée dense et sombre qui pénètre dans notre cœur et se dissout dans la lumière blanche sans laisser de trace.

Variante 2

Imaginons que notre corps se démultiplie en une infinité de formes qui vont jusqu'aux confins de l'univers, prennent sur elles les souffrances de tous les êtres qu'elles y rencontrent et leur offrent notre bonheur ; que notre corps se transforme en vêtements pour ceux qui ont froid, en nourriture pour les affamés ou en refuge pour les sans-abri ; que nous devenons la « gemme qui accorde tous les souhaits », un peu plus grande que notre corps et étincelante d'un magnifique bleu saphir, qui pourvoit naturellement aux besoins de tous ceux qui lui adressent une prière.

Cette pratique permet d'associer notre respiration au développement de la compassion. Très simple, elle peut être utilisée à tout moment de la vie quotidienne, lorsque nous sommes assis dans un train, bloqués dans une file d'attente ou dans un embouteillage, ou lorsque nous jouissons d'un moment de répit dans nos activités journalières.

La douleur physique est une expérience à laquelle nous devons tous faire face dans notre vie. Or, la réaction subjective qu'elle suscite varie de façon importante d'un individu à un autre. La sensation douloureuse peut, par exemple, être considérablement amplifiée par le désir anxieux de la supprimer. La plus bénigne des douleurs devient alors insupportable. En revanche, les maux chroniques sont mieux supportés lorsqu'on modifie son attitude devant la douleur et qu'on lui donne un sens.

Les recherches en neurosciences ont montré la part importante que joue l'interprétation des sensations dans l'expérience de la douleur. Certaines ont porté sur des volontaires qui recevaient régulièrement des stimuli sur le bras, parfois assez douloureux, et parfois beaucoup moins. Chaque fois, les chercheurs leur demandaient d'évaluer l'intensité de la souffrance ressentie. Au bout de quelques jours, ils ont annoncé aux volontaires qu'ils allaient recevoir un stimulus de forte intensité, alors qu'ils n'envoyaient, en fait, qu'une stimulation de faible intensité, et vice versa. Or, il s'est avéré que l'annonce d'un stimulus puissant a fait ressentir comme douloureux un stimulus de faible intensité et, inversement, que l'annonce d'un stimulus de faible intensité a fait que les sujets ne percevaient pas comme douloureuse une stimulation qui d'habitude provoque une douleur intense.

L'anticipation de la gravité ou de l'innocuité de ce

qui va être ressenti joue donc un rôle prépondérant dans l'expérience de la douleur. D'une manière plus générale, l'effet placebo (quelque chose qui nous fait du bien parce que nous en attendons du bien), ainsi que l'effet nocebo (quelque chose qui nous fait du mal parce que nous en attendons du mal) confirment l'influence qu'a l'esprit sur le corps et sur la qualité de notre expérience.

L'appréciation de la douleur dépend donc en grande partie du fonctionnement de l'esprit. Nous supportons mieux des douleurs dont la durée et l'intensité sont prévisibles, ce qui nous permet d'être prêts à les recevoir et donc à mieux les gérer, que des douleurs dont l'intensité risque d'aller croissant, et dont la durée est inconnue. Si une douleur échappe complètement à notre contrôle et que nous pensons qu'elle durera indéfiniment, notre esprit risque fort d'être alors submergé par la souffrance.

Par ailleurs, donner un sens à la douleur permet de mieux la supporter. C'est le cas si nous pensons qu'elle nous apportera un plus grand bien. Nous acceptons, par exemple, les effets secondaires d'un traitement médical parce qu'il nous donne l'espoir de guérir. On peut aussi assumer une douleur pour le bien de quelqu'un d'autre. Telle est la situation d'un parent ou d'un ami prêt à donner son sang ou un organe pour sauver la vie d'un proche. Il en est de même des douleurs parfois intenses subies par le sportif qui s'entraîne. Il les accepte pleinement dans le but d'améliorer ses performances. Certains athlètes affirment que plus la douleur est forte, plus ils l'apprécient car elle les renseigne sur l'intensité de leur entraînement. Ces mêmes sportifs seront affectés bien plus négativement par une douleur imprévue qui n'a pour eux aucune valeur, comme par exemple celle d'une blessure au cours de l'entraînement. Le fait de donner ainsi un sens à la douleur nous confère un pouvoir sur elle et élimine l'anxiété liée au sentiment de désarroi et d'impuissance. En revanche, si nous réagissons par la peur, la révolte, le découragement, l'incompréhension ou le sentiment d'impuissance, au lieu de subir un seul tourment, nous en cumulons plusieurs.

Les cas les plus difficiles sont les douleurs chroniques, vives et persistantes qui prennent constamment le pas sur les autres sensations. La douleur domine alors notre esprit et notre relation au monde, accompagnant chaque pensée et chaque acte. J'ai entendu dire par un malade : « Une puissante douleur chronique est comme une pierre lancée dans un étang : les ondes se répandent dans notre vie tout entière. Il n'y a nulle part où s'enfuir. »

Toutefois, une douleur peut être intense sans pour autant détruire notre vision positive de la vie. Si nous parvenons à acquérir une certaine paix intérieure, il est plus facile de maintenir notre force d'esprit ou de la retrouver rapidement, alors même que nous nous trouvons confrontés à des circonstances difficiles.

Certains êtres qui ont survécu à un accident, à la torture ou à d'intenses douleurs d'un autre ordre, affirment, quelque temps plus tard, se sentir « plus humains », et témoignent d'une appréciation plus profonde du monde qui les entoure, de la beauté de la nature et des qualités des êtres qu'ils rencontrent.

Ils disent « considérer chaque moment de l'existence comme un trésor inestimable[14] ».

Comment, dès lors, prendre en main la douleur au lieu d'en être la victime ? Si l'on ne peut lui échapper, mieux vaut l'utiliser que la repousser. Que l'on sombre dans le découragement le plus total ou que l'on conserve sa force d'esprit et son désir de vivre, dans les deux cas la douleur est toujours présente, mais, dans le second cas on est capable de préserver sa dignité et sa confiance en soi, ce qui fait une grande différence.

À cette fin, le bouddhisme enseigne différentes méthodes. Nous en expliquerons quatre. La première consiste à observer simplement la douleur sans l'interpréter, dans un état de pleine conscience. La seconde fait appel à l'imagerie mentale. La troisième permet de transformer la douleur en s'éveillant à l'amour et à la compassion, et la dernière consiste à examiner la nature de la souffrance et, par extension, celle de l'esprit qui souffre.

Méditation
La pleine conscience

Comme il est expliqué dans le texte suivant, observons avec l'esprit tout entier la sensation de douleur, sans l'interpréter, la rejeter ni la craindre. Plongeons-nous dans l'expérience du moment présent. La sensation conserve alors son intensité, mais perd son caractère répulsif.

Sources d'inspiration

« La plupart d'entre nous considèrent la douleur comme une menace pour notre bien-être physique. Or, si nous la laissons nous préoccuper, elle ne fait que s'intensifier. En revanche, si nous la prenons comme objet de méditation, elle devient un moyen d'accroître la clarté de notre esprit. »

Yongey Mingyour Rinpotché

Comment procéder pour faire de la douleur un objet de méditation ?

« Une conscience pure et non obstruée de cet événement la ressentira comme un flux d'énergie, sans plus. Aucune pensée. Aucun rejet. Simplement 1'énergie [...] Mais le mental conceptualise des expériences telles que celle de la douleur. Vous vous retrouvez en train d'y penser en tant que "douleur". C'est un concept. C'est une étiquette, quelque chose d'ajouté à la sensation elle-même. Et vous construisez une image mentale de la douleur, en la voyant comme une entité [...] Très vraisemblablement, vous vous retrouverez en train de penser : "J'ai une douleur à la jambe." Je est un concept. C'est quelque chose d'extérieur ajouté à 1'expérience pure.

Lorsque vous introduisez "je" dans le processus, vous établissez une discontinuité conceptuelle entre la réalité et la conscience sans ego qui la voit. Des pensées telles que "moi", "mon", "à moi" n'ont aucune place dans la conscience directe. Ce sont des ajouts étrangers, de caractère trompeur. Lorsque vous

faites intervenir "moi" dans le jeu, vous vous iden-
tifiez à la douleur. L'effet est de la renforcer. Si vous
laissez le "je" en dehors de l'opération, la douleur
n'est pas douloureuse. C'est simplement un pur
flux d'énergie. »

Bhante Henepola Gunaratna[15]

Le pouvoir de l'imagerie mentale

Visualisons un nectar bienfaisant, lumineux, qui imprègne
l'endroit où la douleur est la plus pénible, la dissout peu
à peu et finit par la transformer en une sensation de bien-
être. Puis ce nectar emplit le corps tout entier et la sensation douloureuse s'estompe. Si la douleur augmente en
intensité, renforçons d'autant la puissance du nectar, en
pensant que chaque atome de douleur est maintenant
remplacé par un atome de bien-être. Transmuons ainsi
l'essence même de la douleur en félicité.

La force de la compassion

Engendrons un puissant sentiment d'amour altruiste et
de compassion pour tous les êtres, puis pensons :
« J'aspire tant à ne plus souffrir ! Mais d'autres que moi
sont affligés par des peines comparables aux miennes, et
parfois bien pires. Comme j'aimerais qu'ils puissent, eux
aussi, en être libérés ! » Notre douleur n'est plus ressentie
alors comme une dégénérescence ou un événement
accablant. Imprégné d'altruisme, nous cessons de nous
demander avec amertume : « Pourquoi moi ? »
Lorsque nous sommes totalement absorbés par nous-
mêmes, nous sommes vulnérables et devenons facilement
la proie du désarroi, de la contrariété, du sentiment

d'impuissance ou de l'angoisse. Si au lieu de cela, nous éprouvons une forte empathie et une bienveillance inconditionnelle devant la souffrance d'autrui, la résignation fait place au courage, la dépression à l'amour, la petitesse d'esprit à une ouverture envers tous ceux qui nous entourent.

Contempler la nature même de l'esprit

Contemplons simplement la douleur. Même si sa présence est lancinante, demandons-nous quelle est sa couleur, sa forme ou toute autre caractéristique immuable. On s'aperçoit que ses contours s'estompent à mesure qu'on tente de la cerner. En fin de compte, on reconnaît qu'il y a, derrière la douleur, une présence consciente, celle-là même qui se trouve à la source de toute sensation et de toute pensée. Détendons notre esprit et essayons de laisser la douleur reposer dans la pleine conscience, libre de toute construction mentale. Cette attitude nous permettra de ne plus en être la victime passive, mais, peu à peu, de faire face et de remédier à la dévastation qu'elle provoque dans notre esprit.

Ce n'est certes pas facile, mais l'expérience montre que c'est réalisable. Nous avons connu nombre de méditants ayant eu recours à cette méthode lors de maladies terminales particulièrement douloureuses. Ils semblaient remarquablement sereins et relativement peu affectés par la douleur. Francisco Varela, chercheur de renom en sciences cognitives, qui avait pratiqué la méditation bouddhiste pendant des années, m'a confié, quelques semaines avant sa mort d'un cancer généralisé, qu'il arrivait à demeurer presque tout le temps dans la présence éveillée de la pleine conscience. La douleur physique lui semblait alors lointaine et ne l'empêchait pas de conserver sa paix intérieure. Il n'avait d'ailleurs besoin que de très faibles doses d'analgésiques. Il a su préserver cette lucidité et cette sérénité contemplative jusqu'à son dernier souffle.

Venons-en maintenant à la vision pénétrante (*vipashyana* en sanskrit, *vipassana* en pali). Pourquoi est-il si important d'avoir une vision correcte de la réalité ? Cela peut paraître bien théorique, mais ce ne l'est pas du tout. Notre façon de percevoir les autres et le monde en général influe considérablement sur notre façon d'être et notre comportement. Nous surimposons constamment au monde notre vision tronquée de la réalité, et les déformations qui en résultent sont autant de causes de frustration et de tourments, puisqu'elles finissent inévitablement par se heurter à la réalité. Combien de fois n'avons-nous pas considéré quelqu'un ou quelque chose comme étant totalement désirable ou totalement haïssable ? Avec quelle force nous agrippons-nous au « moi » et au « mien », persuadés de la solidité de ces concepts ?

Imaginons maintenant que nous percevions le monde des phénomènes comme un flux dynamique d'événements interdépendants dont les caractéristiques sans cesse changeantes résultent d'innombrables causes et conditions et n'appartiennent pas intrinsèquement aux objets qu'elles définissent. Les concepts de « moi » et de « mien » nous apparaîtraient beaucoup plus fluides et ne feraient plus l'objet de fixations aussi puissantes.

Cultiver la vision pénétrante est donc une pratique essentielle pour éradiquer la souffrance et les incompréhensions fondamentales qui en sont la source.

Pour développer cette vision pénétrante, il est indispensable d'avoir l'esprit clair, concentré et stable, d'où l'importance d'avoir préparé celui-ci par la pratique du calme intérieur, *shamatha*. Toutefois, comme nous l'avons vu, cette dernière à elle seule ne suffit pas. *Shamatha* permet d'apaiser momentanément les émotions perturbatrices, mais pas de les éradiquer. Il est donc indispensable d'avoir recours à la vision pénétrante qui permet de reconnaître la nature fondamentale de la conscience, la façon dont les émotions surgissent et s'enchaînent, et comment nos fabrications mentales renforcent notre égocentrisme.

La vision pénétrante nous permettra, par l'analyse puis par l'expérience directe, de comprendre que les phénomènes sont impermanents, interdépendants, et de ce fait dénués de l'existence autonome et tangible que nous leur attribuons d'ordinaire. Il en résultera davantage de vérité et de liberté dans notre manière de percevoir le monde. Nous ne serons plus prisonniers de notre vision égocentrique et gérerons plus facilement les réactions émotionnelles engendrées par notre interaction avec ce qui nous entoure.

Vipashyana peut être pratiqué à différents niveaux et de diverses façons. Nous envisagerons ici quelques-uns de ces aspects :

– comment arriver à une plus juste compréhension de la réalité ;

– comment s'affranchir des tourments créés par les émotions perturbatrices ;

– comment démasquer l'imposture de l'ego et comprendre l'influence exercée par ce concept sur notre souffrance et notre bien-être ;

– comment appréhender la nature fondamentale de l'esprit.

Mieux comprendre la réalité

Que faut-il entendre par *réalité* ? Selon le bouddhisme, il s'agit de la nature véritable des choses, non modifiée par les fabrications mentales qui creusent un fossé entre la façon dont les choses nous apparaissent et ce qu'elles sont véritablement. Ce désaccord engendre d'incessants conflits avec le monde. Habituellement, en effet, nous percevons le monde extérieur comme un ensemble d'entités autonomes auxquelles nous attribuons des caractéristiques qui semblent leur appartenir en propre. Les choses nous apparaissent comme étant intrinsèquement « plaisantes » ou « déplaisantes », et les gens comme fondamentalement « bons » ou « mauvais ». Le « moi » qui les perçoit nous semble tout aussi réel et concret. Cette méprise, que le bouddhisme appelle *ignorance*, engendre de puissants réflexes d'attachement et d'aversion qui mènent généralement à une kyrielle de souffrances.

Selon l'analyse bouddhiste, le monde résulte du concours d'un nombre infini de causes et de conditions en perpétuel changement. Comme un arc-en-ciel qui se forme au moment précis où le soleil brille sur un rideau de pluie, et s'évanouit dès que l'un des facteurs contribuant à sa formation n'est plus présent, les phénomènes existent sur un mode essentiellement interdépendant et n'ont donc pas d'existence autonome et permanente. La *réalité ultime* est donc ce que l'on appelle la *vacuité d'existence propre* des phénomènes animés et inanimés. Tout est relation, rien n'existe en soi et par soi. Lorsque cette notion essentielle est comprise et intériorisée, la perception erronée qu'on avait de notre moi et du monde laisse place à une juste compréhension de la nature des choses et des êtres : la *connaissance*. Celle-ci n'est pas une simple construction intellectuelle ni un ensemble d'informations ; elle procède d'une démarche essentielle qui permet d'éliminer progressivement l'aveuglement mental et les émotions perturbatrices qui en découlent et, par là même, les causes principales de notre mal-être.

La méditation qui suit, dont le but est de nous aider à transformer notre perception de la réalité, est décrite en termes contemporains, mais elle est fondée sur une analyse classique de la philosophie bouddhiste que l'on pourra consulter dans les ouvrages de référence cités à la fin de ce livre.

Méditation

Imaginons une rose fraîchement éclose dont nous admirons la beauté. Qu'elle est belle ! Imaginons maintenant que nous sommes un petit insecte qui grignote un morceau de pétale. Qu'il est bon ! Visualisons-nous dans la peau d'un tigre devant lequel cette rose est posée. Pour lui, la fleur ou une botte de foin, cela ne fait guère de différence. Transportons-nous maintenant au cœur de cette rose et imaginons-nous sous l'aspect d'un atome. Nous n'existons plus que sous forme de trajectoires énergétiques dans un monde kaléidoscopique, au sein d'un tourbillon de particules qui traversent un espace presque entièrement vide. Où est passée la rose ? Où sont sa couleur, sa forme, sa texture, son parfum, son goût, sa beauté ? Quant aux particules, si on y regarde de plus près, sont-elles des objets solides ? Pas vraiment, disent les physiciens. Ce sont des « événements » qui surgissent du vide quantique, des « ondes de probabilités » et, enfin, de l'énergie. De l'énergie ? Serait-ce là une entité ? N'est-ce pas plutôt un potentiel de manifestation qui n'est ni non-existant ni vraiment existant ? Que reste-t-il de la rose ?

La « vacuité » de quelque chose, ce n'est pas l'inexistence de cette chose mais sa nature véritable. La vacuité d'un arc-en-ciel, ce n'est pas son absence, c'est le fait qu'alors qu'il brille de toutes ses couleurs chatoyantes, il est entièrement dépourvu d'existence propre, autonome et permanente. Il suffit que le soleil qui brille derrière nous soit voilé un instant, ou que le rideau de pluie cesse de tomber, pour que l'arc-en-ciel s'évanouisse sans laisser la moindre trace.

Examinons ainsi la nature des choses qui nous entourent. Rendons-nous compte qu'en dépit de leur apparence tangible elles sont dénuées d'existence ultime. Laissons notre esprit reposer quelques instants dans cette union indissoluble des apparences et de la vacuité, de la forme et du vide.

Sources d'inspiration

Comme l'étoile filante, le mirage, la flamme,
L'illusion magique, la goutte de rosée, la bulle sur l'eau,
Comme le rêve, l'éclair ou le nuage :
Considère ainsi toutes choses composées.

Chandrakirti

Tels les reflets à la surface d'un lac limpide,
La multiplicité des phénomènes se manifeste
Tout en étant dénuée d'existence propre.
Aujourd'hui même, acquiers la certitude
Que tout n'est que reflet de la vacuité.

Longchen Rabjam[16]

« Le sujet et l'objet sont comme le bois de santal et sa fragrance. Le samsara et le nirvana sont comme la glace et l'eau. Les apparences et la vacuité sont comme les nuages et le ciel. Les pensées et la nature de l'esprit sont comme les vagues et l'océan. »

Guéshé Tchayulpa[17]

« Au cœur de l'hiver, le froid fait geler les rivières et les lacs ; l'eau devient si solide qu'elle peut porter hommes, bêtes et véhicules. Quand vient le printemps, la terre et l'eau se réchauffent et a lieu le dégel. Que reste-t-il de la solidité de la glace ? L'eau redevient liquide et fluide, la glace est dure et figée, elles ne sont donc pas identiques, mais elles ne sont pas non plus différentes, puisque la glace n'est que de l'eau figée et l'eau, de la glace fondue.

Cette métaphore s'applique à notre perception du "réel". Quand nous nous attachons à la réalité des choses, quand nous nous laissons emporter par les jugements entre le désir ou la haine, le plaisir ou la douleur, les profits ou les pertes, la gloire ou l'infamie, la louange ou la critique, notre esprit se fige. Or, ce que nous pouvons faire, c'est fondre la glace des concepts et des préjugés pour la transformer en l'eau vive de la liberté de tous les possibles. »

Khyentsé Rinpotché

« La reconnaissance de la nature de l'esprit et la juste compréhension du monde phénoménal sont essentielles dans notre quête du bonheur. Si l'esprit s'appuie sur des vues totalement erronées quant à la nature des choses, et les entretient, il lui sera très difficile de se transformer de façon à connaître la liberté. Concevoir une vue correcte n'est pas une question de foi ou d'adhésion à un dogme, mais de claire compréhension. Cette dernière naît d'une analyse pertinente de la réalité. C'est ainsi que, peu à peu, la croyance en l'existence propre des phénomènes, sur laquelle s'ancre notre conception erronée du monde, est mise en doute et se trouve remplacée par une juste vision des choses. »

XIVe Dalaï-lama[18]

On entend souvent dire que le bouddhisme en général, et la méditation en particulier, visent à supprimer les émotions. Tout dépend de ce que l'on entend par « émotion ». S'il s'agit de perturbations mentales telles que la haine et la jalousie, pourquoi ne pas s'en débarrasser ? S'il s'agit d'un puissant sentiment d'amour altruiste ou de compassion à l'égard de ceux qui souffrent, pourquoi ne pas développer ces qualités ? Tel est en tout cas le but de la méditation.

La méditation nous apprend à gérer les flambées de colère malveillante ou de jalousie, les vagues de désir incontrôlé et les peurs irraisonnées. Elle nous libère du diktat des états mentaux qui obscurcissent notre jugement et sont la source d'incessants tourments. On parle alors de « toxines mentales », car ces états mentaux intoxiquent véritablement notre existence et celle des autres.

Le mot « émotion » provient du mot latin *emovere* qui signifie « mettre en mouvement ». Une émotion est donc ce qui fait se mouvoir l'esprit, que ce soit vers une pensée nocive, neutre ou bénéfique. L'émotion conditionne l'esprit et lui fait adopter une certaine perspective, une certaine vision des choses. Cette vision peut être conforme à la réalité dans le cas de l'amour altruiste et de la compassion, ou bien déformée, dans le cas de la haine ou de l'avidité. Ainsi que nous l'avons souligné plus haut, l'amour altruiste est une prise de conscience du fait que tous les êtres souhaitent, comme nous, être libérés de la souffrance et il se fonde sur la reconnaissance de leur interdépendance fondamentale, dont nous participons. À l'opposé, la haine déforme la réalité en amplifiant les défauts de son objet et en ignorant ses qualités. De même, le désir avide nous fait percevoir son objet comme étant désirable à tous points de vue et en ignore les défauts. Il faut donc convenir que certaines émotions sont perturbatrices et d'autres bienfaisantes. Si une émotion renforce notre paix intérieure et nous incite au bien d'autrui, nous pouvons la considérer comme positive, ou constructive ; si elle détruit notre sérénité, trouble profondément notre esprit et nous conduit à nuire aux autres, elle est négative, ou perturbatrice. C'est ce qui différencie, par exemple, une vigoureuse indignation, une « sainte colère », face à une injustice dont nous sommes témoins, d'une colère motivée par l'intention de faire du tort à quelqu'un.

L'important n'est donc pas de s'évertuer à supprimer nos émotions, ce qui serait vain, mais de faire en sorte qu'elles contribuent à notre paix intérieure et nous amènent à penser, parler et agir de façon bienfaisante envers les autres. Pour cela, nous devons nous garder d'en être le jouet impuissant, en apprenant à dissoudre celles qui sont négatives au fur et à mesure qu'elles surgissent, et à cultiver celles qui sont positives.

Comprenons aussi que c'est l'**accumulation et l'enchaînement** des émotions et des pensées qui engendrent nos humeurs, lesquelles durent quelques instants ou quelques jours, et forment, à plus long terme, nos tendances et nos traits de caractère. C'est pourquoi, si nous apprenons à gérer nos émotions de manière optimale, peu à peu, d'émotion en émotion, de jour en jour, nous finirons par transformer notre façon d'être. Telle est l'essence de l'entraînement de l'esprit et de la méditation sur les émotions.

Parmi les diverses méthodes permettant de gérer les émotions par la méditation, nous en expliquerons deux : la première consiste à appliquer des antidotes ; la seconde à ne pas s'identifier à ces afflictions éphémères, tout en reconnaissant leur véritable nature.

Le recours à des antidotes

Antidote désigne ici un état d'esprit diamétralement opposé à l'émotion perturbatrice que l'on souhaite contrecarrer. De même qu'un verre d'eau ne peut être à la fois chaud et froid, nous ne pouvons simultanément vouloir faire du bien et du mal à la même personne. Il s'agit donc, en quelque sorte, de cultiver des remèdes suffisamment puissants pour neutraliser les émotions qui nous perturbent.

Vu sous un autre angle, plus on développe la bienveillance, moins il y aura de place dans l'esprit pour son contraire, la malveillance, de même que plus il y a de lumière dans une pièce, plus l'obscurité se dissipe. Dans les méditations qui suivent, nous prendrons tout d'abord pour exemple le désir, puis la colère malveillante.

Le désir

Personne ne conteste qu'il soit naturel de désirer, et que le désir joue un rôle essentiel dans la vie pour réaliser nos aspirations. Mais le désir n'est qu'une force aveugle, ni bienfaisante ni néfaste par elle-même. Tout dépend de l'influence qu'il exerce sur nous. Il est capable d'inspirer notre existence comme il peut l'empoisonner. Il peut nous inciter à agir de façon constructive pour nous-mêmes et pour les autres, mais il peut aussi se traduire par d'intenses tourments. C'est le cas lorsqu'il devient une soif qui nous tenaille et nous consume. Il peut nous rendre dépendants des causes mêmes de la souffrance. Il est alors source de malheur, et il n'y a aucun avantage à en rester la victime. À ce type de désir nous appliquerons comme antidote la liberté intérieure.

Méditation

Si nous sommes en proie à un désir puissant qui nous trouble et nous obsède, commençons par examiner ses caractéristiques principales et identifions les antidotes appropriés.

Le désir a un aspect d'urgence. Calmons nos pensées en observant les allées et venues du souffle comme nous l'avons décrit précédemment.

Le désir a un aspect contraignant et perturbant. Comme antidote, imaginons l'aise et le soulagement qui accompagnent la liberté intérieure. Consacrons quelques moments à laisser ce sentiment de liberté naître et croître en nous.

Le désir a tendance à déformer la réalité et à considérer son objet comme étant foncièrement désirable. Afin de rétablir une vision plus juste des choses, prenons le temps d'examiner l'objet du désir sous tous ses aspects, et méditons quelques instants sur ses côtés moins attrayants, voire indésirables.

Finalement, laissons notre esprit se détendre dans la paix de la pleine conscience, libre d'espoir et de crainte, et apprécions la fraîcheur du moment présent, qui agit comme un baume sur le feu du désir.

Sources d'inspiration

« Un esprit paisible n'est pas synonyme d'esprit vide de pensées, de sensations et d'émotions. Un esprit paisible n'est pas un esprit absent[19]. »

Thich Nhat Hanh

« Traiter le désir de la manière suivante. Remarquez la pensée ou la sensation lorsqu'elle apparaît. Remarquez l'état mental de désir qui l'accompagne comme une chose distincte. Notez l'étendue ou le degré exact de ce désir. Ensuite, remarquez combien de temps il dure et quand il disparaît finalement. Lorsque vous avez fait cela, reportez votre attention sur la respiration[20]. »

Bhante Henepola Gunaratna

« Qu'il est bon de se gratter lorsque cela nous démange, mais quel bonheur lorsque cela ne nous démange plus. Qu'il est bon de satisfaire nos désirs, mais quel bonheur d'être libre des désirs[21]. »

Nagarjoûna

La colère

La colère égocentrique, précurseur de la haine, obéit à l'impulsion d'écarter quiconque fait obstacle à ce qu'exige notre moi, sans considération pour le bien-être d'autrui. Elle s'exprime par une hostilité ouverte lorsque l'ego menacé choisit de contre-attaquer, et par du ressentiment et de la rancœur quand il est blessé, méprisé ou ignoré. Une simple colère peut aussi être associée à la malveillance, au désir de nuire sciemment à quelqu'un.

L'esprit, obsédé par l'animosité et le ressentiment, s'enferme dans l'illusion et se persuade que la source de son insatisfaction réside entièrement à l'extérieur de lui-même. En vérité, même si le ressentiment a été déclenché par un objet extérieur, il ne se trouve pas ailleurs que dans notre esprit. De plus, si notre haine est une réponse à la haine d'autrui, nous déclenchons un cercle vicieux qui n'aura jamais de fin. La méditation qui suit n'a pas pour but de refouler la haine, mais de tourner notre esprit vers ce qui lui est diamétralement opposé : l'amour et la compassion.

Méditation

Considérons quelqu'un qui s'est comporté avec malveillance envers nous ou nos proches et nous a fait souffrir. Considérons aussi des êtres qui causent, ou ont causé, d'immenses souffrances aux autres. Comprenons que si les poisons mentaux qui les ont amenés à se conduire ainsi pouvaient disparaître de leur esprit, ils cesseraient naturellement d'être nos ennemis et ceux de l'humanité. Souhaitons de tout cœur que cette transformation se produise. À cette fin, nous avons recours à la méditation sur l'amour altruiste et formons, ainsi que nous l'avons vu, le vœu suivant : « Puissent tous les êtres se libérer de la souffrance et des causes de la souffrance. Puissent la haine, l'avidité, l'arrogance, le mépris, l'indifférence, l'avarice et la jalousie disparaître de leurs esprits pour être remplacés par l'amour altruiste, le contentement, la modestie, l'appréciation, la sollicitude, la générosité et la sympathie. »

Laissons ce sentiment de bienveillance inconditionnelle envahir toutes nos pensées.

Sources d'inspiration

« Je ne vois pas d'autre issue : que chacun de nous fasse un retour sur lui-même et extirpe et anéantisse en lui tout ce qu'il croit devoir anéantir chez les autres. Et soyons bien convaincus que le moindre atome de haine que nous ajoutons à ce monde nous le rend plus inhospitalier qu'il n'est déjà[22]. »

« Je ne crois plus que nous puissions corriger quoi que ce soit dans le monde extérieur, que nous n'ayons d'abord corrigé en nous. L'unique leçon de cette guerre est de nous avoir appris à chercher en nous-même et pas ailleurs[23]. »

Etty Hillesum

« Il est temps de détourner la haine de ses cibles habituelles, vos prétendus ennemis, pour la diriger contre elle-même. En effet, c'est la haine votre véritable ennemie, et c'est elle que vous devez détruire. »

Khyentsé Rinpotché

« En cédant à la haine, nous ne faisons pas nécessairement du tort à notre ennemi, mais nous nuisons à coup sûr à nous-mêmes. Nous perdons notre paix intérieure, nous ne faisons plus rien correctement, nous digérons mal, nous ne dormons plus, nous faisons fuir ceux qui viennent nous voir, nous lançons des regards furieux à ceux qui ont l'audace d'être sur notre passage. Nous rendons la vie impossible à ceux qui habitent avec nous et nous éloignons même nos amis les plus chers. Et comme ceux qui compatissent avec nous se font de moins en moins nombreux, nous sommes de plus en plus seuls. [...] À quoi bon ? Même si nous allons jusqu'au bout de notre rage, nous n'éliminerons jamais tous nos ennemis. Connaissez-vous quelqu'un qui y soit parvenu ? Tant que nous hébergeons en nous cet ennemi intérieur qu'est la colère ou la haine, nous aurons beau détruire nos ennemis extérieurs aujourd'hui, d'autres surgiront demain[24]. »

XIVe Dalaï-lama

Cessons de nous identifier à nos émotions

La deuxième manière de faire face aux émotions perturbatrices consiste à nous dissocier mentalement de l'émotion qui nous afflige. Habituellement, nous

nous identifions complètement à nos émotions. Lorsque nous sommes pris d'un accès de colère, nous ne faisons qu'un avec elle. Elle est omniprésente en notre esprit et ne laisse aucune place à d'autres états mentaux tels que la paix intérieure, la patience, ou la prise en considération des raisons qui pourraient calmer notre mécontentement. Pourtant, si, à ce moment-là, nous sommes encore capables d'un peu de présence d'esprit – une capacité que l'on peut s'entraîner à développer –, nous pouvons cesser de nous identifier à la colère.

L'esprit est en effet capable d'examiner ce qui se passe en lui. Il suffit pour cela qu'il observe ses émotions comme nous le ferions pour un événement extérieur se produisant devant nos yeux. **Or, la part de notre esprit qui est consciente de la colère est simplement consciente : elle n'est pas en colère. Autrement dit, la pleine conscience n'est pas affectée par l'émotion qu'elle observe.** Comprendre, cela permet de prendre de la distance, de se rendre compte que cette émotion n'a aucune substance, et de lui laisser l'espace suffisant pour qu'elle se dissolve par elle-même.

Ce faisant, nous évitons deux extrêmes aussi préjudiciables l'un que l'autre : réprimer l'émotion, qui restera quelque part dans un coin sombre de notre conscience, comme une bombe à retardement, ou la laisser exploser, au détriment de ceux qui nous entourent et de notre propre paix intérieure. Ne plus s'identifier aux émotions constitue un antidote fondamental applicable en toutes circonstances.

Dans la méditation qui suit, nous prendrons à

nouveau l'exemple de la colère, mais le processus est le même pour toute autre émotion perturbatrice.

Méditation

Imaginons que nous sommes submergés par une très forte colère. Il nous semble que nous n'avons pas d'autre choix que de nous laisser emporter. Impuissant, notre esprit retourne sans cesse vers l'objet qui a déclenché sa rage, comme du fer vers un aimant. Si quelqu'un nous a insultés, l'image de cette personne et ses paroles nous reviennent constamment à l'esprit. Et chaque fois que nous y repensons, nous déclenchons une nouvelle flambée de ressentiment qui nourrit le cercle vicieux des pensées et des réactions à ces pensées.

Changeons alors de tactique. Détournons-nous de l'objet de notre colère et contemplons la colère elle-même. C'est un peu comme si l'on regardait un feu tout en cessant de l'alimenter avec du bois. Le feu, aussi violent soit-il, ne tardera pas à s'éteindre tout seul. De même, si nous posons simplement le regard de notre attention sur la colère, il est impossible qu'elle perdure d'elle-même. Toute émotion, aussi intense soit-elle, s'épuise et s'évanouit naturellement lorsqu'on cesse de l'alimenter.

Comprenons également qu'en fin de compte la colère la plus puissante n'est rien de plus qu'une pensée. Examinons-la de plus près. D'où tire-t-elle le pouvoir de nous dominer à ce point ? Possède-t-elle une arme ? Brûle-t-elle comme un feu ? Nous écrase-t-elle comme un rocher ? Pouvons-nous la localiser dans notre poitrine, notre cœur ou notre tête ? S'il nous semble que oui, a-t-elle une couleur ou une forme ? Nous serons bien en peine de lui trouver de telles caractéristiques. Lorsque l'on contemple un gros nuage noir dans un ciel d'orage, il a l'air si massif qu'on pourrait s'y asseoir. Pourtant, si l'on volait vers ce nuage, on n'y trouverait rien à saisir : il n'y a là que vapeur impalpable. De même, en examinant attentivement la colère, nous n'y trouverons rien qui puisse justifier l'influence tyrannique qu'elle exerce sur nous. Plus nous cherchons à la cerner, plus elle s'évanouit sous notre regard comme le givre sous les rayons du soleil.

Finalement, d'où vient cette colère ? Où est-elle maintenant ? Où disparaît-elle ? Tout ce que l'on peut affirmer, c'est qu'elle provient de notre esprit, y demeure quelque instants et s'y résorbe ensuite. L'esprit quant à lui est insaisissable, il ne constitue pas une entité distincte et n'est rien d'autre qu'un flux d'expériences.

Si, chaque fois qu'une puissante émotion surgit, nous apprenons à la gérer avec intelligence, non seulement nous maîtriserons l'art de libérer les émotions au moment même où elles surviennent, mais nous éroderons également les tendances mêmes qui font que ces émotions surgissent. Ainsi, peu à peu, nos traits de caractère et notre manière d'être finiront par se transformer.

Cette méthode peut sembler quelque peu difficile au début, surtout dans le feu de l'action, mais avec la pratique, elle nous sera de plus en plus familière. Lorsque la colère ou toute autre émotion perturbatrice commencera à poindre dans notre esprit, nous l'identifierons sur-le-champ et saurons y faire face avant qu'elle ne prenne trop d'ampleur. C'est un peu comme si nous connaissions l'identité d'un pickpocket : même s'il se mêle à la foule, nous le repérerons instantanément et garderons toujours un œil sur lui, de sorte qu'il ne pourra pas nous dérober notre portefeuille.

Ainsi, en nous familiarisant de plus en plus avec les mécanismes de l'esprit, et en cultivant la pleine conscience, nous ne laisserons plus l'étincelle des émotions naissantes se transformer en feu de forêt capable de détruire notre bonheur et celui des autres.

Cette méthode peut être utilisée avec toutes les émotions perturbatrices ; elle permet de jeter un pont entre la pratique de la méditation et les occupations de la vie quotidienne. Si nous nous habituons à regarder les pensées au moment même où elles surviennent, et à les laisser se dissiper avant qu'elles ne prennent possession de nous, il nous sera beaucoup plus facile de rester maîtres de notre esprit et de gérer les émotions conflictuelles au milieu même de nos activités de tous les jours.

Source d'inspiration

« Rappelez-vous que les pensées ne sont que le produit de la conjonction fugace d'un grand nombre de facteurs. Elles n'existent pas par elles-mêmes. Aussi, dès qu'elles surgissent, reconnaissez leur nature qui est vacuité. Elles perdront aussitôt le pouvoir d'engendrer d'autres pensées, et la chaîne de l'illusion sera rompue. Reconnaissez cette vacuité des pensées et laissez ces dernières se relâcher dans la clarté naturelle de l'esprit limpide et inaltérée[25]. »

« Quand un rayon de soleil frappe un morceau de cristal, des lumières irisées en jaillissent, brillantes mais insubstantielles. De même, les pensées, dans leur infinie variété – dévotion, compassion, méchanceté, désir –, sont insaisissables, immatérielles, impalpables. Il n'en est pas une qui ne soit vide d'existence propre. Si vous savez reconnaître la vacuité de vos pensées au moment même où elles surgissent, elles s'évanouiront. La haine et l'attachement ne pourront plus ébranler votre esprit, et les émotions perturbatrices cesseront d'elles-mêmes. Vous n'accumulerez plus d'actes néfastes et, de ce fait, vous ne causerez plus de souffrances. Voilà l'ultime pacification[26]. »

Khyentsé Rinpotché

À la recherche de l'ego

Comprendre la nature de l'ego et son mode de fonctionnement est d'une importance vitale si l'on souhaite se libérer de la souffrance. L'idée de se dégager de l'emprise de l'ego peut nous laisser perplexes, sans doute parce que nous touchons à ce que nous croyons être notre identité fondamentale.

Nous sommes conscients du fait qu'à chaque instant, depuis notre naissance, notre corps s'est continuellement transformé et que notre esprit a été le théâtre d'innombrables expériences nouvelles. Mais d'instinct nous imaginons que quelque part, au plus profond de nous, siège une entité durable qui confère une réalité solide et une permanence à notre personne. Cela nous semble si évident que nous ne jugeons pas nécessaire d'examiner plus attentivement cette intuition. Il s'ensuit un puissant attachement aux notions de « moi », puis de « mien » – *mon* corps, *mon* nom, *mon* esprit, *mes* possessions, *mes* amis, etc. – qui entraîne soit un désir de possession, soit un sentiment de répulsion à l'égard de l'autre. C'est ainsi que la dualité irréductible entre moi et autrui se cristallise dans nos pensées. Ce processus nous assimile à une entité imaginaire. L'ego, c'est aussi le sentiment exacerbé de l'importance de soi qui découle de cette construction mentale. **Il place son identité fictive au centre de toutes nos expériences.**

Pourtant, comme on le verra ci-dessous, dès que l'on analyse sérieusement la nature du moi, on s'aperçoit qu'il est impossible de mettre le doigt sur une quelconque entité distincte qui lui corresponde. En fin de compte, il s'avère que l'ego n'est qu'un concept que nous associons au continuum d'expériences qu'est notre conscience.

Notre identification à l'ego est fondamentalement dysfonctionnelle, car elle est en porte-à-faux avec la réalité. Nous attribuons en effet à cet ego des qualités de permanence, de singularité et d'autonomie, alors que la réalité est tout au contraire changeante, multiple et interdépendante. L'ego fragmente le monde et fige une fois pour toutes la division qu'il établit entre « moi » et « autrui », « mien » et « non-mien ». Fondé sur une méprise, il est constamment menacé par la réalité, ce qui entretient en nous un profond sentiment d'insécurité. Conscient de sa vulnérabilité, nous tentons par tous les moyens de le protéger et de le renforcer, éprouvant de l'aversion pour tout ce qui le menace et de l'attirance pour tout ce qui le sustente, et de ces pulsions d'attraction et de répulsion naissent une foule d'émotions conflictuelles.

Nous pourrions penser qu'en consacrant la majeure partie de notre temps à satisfaire et à renforcer cet ego nous adoptons la meilleure stratégie possible pour trouver le bonheur. Mais c'est un pari perdant, puisque c'est tout le contraire qui se produit. En imaginant un ego autonome, nous nous trouvons en contradiction avec la nature des choses, ce qui se traduit par des frustrations et des tourments sans fin. Consacrer toute notre énergie à cette entité imaginaire a des effets puissamment délétères sur la qualité de notre vie.

L'ego ne peut procurer qu'une confiance en soi factice, fondée sur des attributs précaires – le pouvoir, le succès, la beauté et la force physiques, le brio intellectuel et l'opinion d'autrui – et sur tout ce qui constitue notre image. La vraie confiance en soi est tout autre. C'est, paradoxalement, une qualité naturelle de l'absence d'ego. Dissiper l'illusion de l'ego, c'est s'affranchir d'une faiblesse fondamentale. La confiance en soi qui ne repose pas sur l'ego va de pair avec un sentiment de liberté qui n'est plus soumis aux contingences émotionnelles. Elle s'accompagne d'une invulnérabilité face aux jugements d'autrui et d'une acceptation intérieure des circonstances, quelles qu'elles soient. Cette liberté se traduit par un sentiment d'ouverture à tout ce qui se présente. Il ne s'agit pas de la froideur distante, du détachement sec ou de l'indifférence que l'on imagine parfois lorsqu'on se représente le détachement bouddhiste, mais d'une disponibilité bienveillante et courageuse qui s'étend à tous les êtres.

Lorsque l'ego ne se repaît pas de ses triomphes, il se nourrit de ses échecs en s'érigeant en victime. Alimentée par ses constantes ruminations, sa souffrance lui confirme son existence autant que son euphorie. Qu'il se sente porté au pinacle, diminué, offensé, ou ignoré, l'ego se consolide en n'accordant d'attention qu'à lui-même. « L'ego est le résultat d'une activité mentale qui crée et "maintient en vie" une entité imaginaire dans notre esprit[27]. » C'est un imposteur qui se prend à son jeu. L'une des fonctions de la vue pénétrante, *vipashyana*, est de démasquer l'imposture de l'ego.

En vérité, nous ne sommes pas cet ego, nous ne sommes pas cette colère, nous ne sommes pas ce désespoir. Notre niveau d'expérience le plus fondamental est celui de la conscience pure, cette qualité première de la conscience dont nous avons parlé précédemment et qui est le fondement de toute expérience, de toute émotion, de tout raisonnement, de tout concept, et de toute construction mentale, *l'ego y compris*. Mais attention, cette conscience pure, cette « présence éveillée » n'est pas une nouvelle entité, plus subtile encore que l'ego : elle est une qualité fondamentale de notre courant mental.

L'ego n'est rien de plus qu'une construction mentale plus durable que les autres parce qu'elle est constamment renforcée par nos chaînes de pensées. Cela n'empêche pas ce concept illusoire d'être dénué d'existence propre. Cette étiquette tenace ne tient sur le flux de notre conscience que grâce à la colle magique de la confusion mentale.

Pour démasquer l'imposture du moi, il faut mener l'enquête jusqu'au bout. Celui qui soupçonne la présence d'un voleur dans sa maison doit inspecter chaque pièce, chaque recoin, chaque cachette possible, jusqu'à être sûr qu'il n'y a vraiment personne. Alors seulement peut-il avoir l'esprit en paix.

Méditation

Examinons ce qui est supposé constituer l'identité du « moi ». Notre corps ? Un assemblage d'os et de chair. Notre conscience ? Une succession de pensées fugaces. Notre histoire ? La mémoire de ce qui n'est plus. Notre nom ? Nous lui attachons toutes sortes de concepts – celui de notre filiation, de notre réputation et de notre statut social – mais, en fin de compte, il n'est rien de plus qu'un assemblage de lettres.

Si l'ego constituait vraiment notre essence profonde, on comprendrait notre inquiétude à l'idée de nous en débarrasser. S'il n'est qu'une illusion, s'en affranchir ne revient pas à extirper le cœur de notre être, mais simplement à dissiper une erreur et à ouvrir les yeux sur la réalité.

L'erreur n'offre aucune résistance à la connaissance, pas plus que l'obscurité n'offre de résistance à la lumière. Des millions d'années de ténèbres peuvent disparaître instantanément, à peine une lampe est-elle allumée.

Lorsque le moi cesse d'être considéré comme le centre du monde, on se sent naturellement concerné par les autres. La contemplation égocentrique de nos propres souffrances nous décourage, alors que le souci altruiste des souffrances d'autrui ne fait que redoubler notre détermination à œuvrer à leur soulagement.

Le sentiment profond d'un « moi » qui serait au cœur de notre être : c'est bien cela que nous devons donc examiner honnêtement.

Où se trouve ce « moi » ? Il ne peut être uniquement dans mon corps, car lorsque je dis « je suis triste », c'est ma conscience qui éprouve une impression de tristesse, pas mon corps. Se trouve-t-il alors uniquement dans ma conscience ? C'est loin d'être évident. Quand je dis : « Quelqu'un m'a *poussé* », est-ce ma conscience qui a été poussée ? Certes non. Le moi ne saurait se trouver en dehors du corps et de la conscience. La notion de moi est-elle simplement associée à l'ensemble du corps et de la conscience ? Nous passons alors à une notion plus abstraite. La seule issue à ce dilemme consiste à considérer le moi comme une *désignation mentale* attachée à un processus dynamique, à un ensemble de relations changeantes qui intègrent nos sensations, nos images mentales, nos émotions et nos concepts. Le moi n'est finalement qu'un nom par lequel on désigne un continuum, de la même façon qu'on appelle un fleuve Amazone ou Gange. Chaque fleuve a une histoire, il coule dans un paysage unique et son eau peut avoir des propriétés curatives ou être polluée. Il est donc légitime de lui donner un nom et de le distinguer d'un autre fleuve. Cependant, il n'existe pas dans le fleuve une entité quelconque qui serait le « cœur » ou l'essence du fleuve. De même, le « moi » existe de manière conventionnelle, mais en aucune façon sous la forme d'une entité qui constituerait le cœur de notre être.

L'ego a toujours quelque chose à perdre et quelque chose à gagner ; la simplicité naturelle de l'esprit, elle, n'a rien à perdre et rien à gagner, il n'est pas nécessaire de lui retrancher ou de lui rajouter quoi que ce soit. L'ego se nourrit de la rumination du passé et de l'anticipation de l'avenir, mais il ne peut survivre dans la simplicité du moment présent. Demeurons dans cette simplicité, dans la pleine conscience du maintenant, qui est liberté, apaisement ultime de tout conflit, de toute fabrication, de toute projection mentale, de toute distorsion, de toute identification et de toute division.

Il vaut donc la peine de consacrer un peu de notre temps à laisser notre esprit reposer dans le calme intérieur pour lui permettre de mieux comprendre, par l'analyse et par l'expérience directe, la place qu'occupe l'ego dans notre vie. Tant que le sentiment de l'importance de soi tient les rênes de notre être, nous ne connaîtrons jamais de paix durable. La cause même de la douleur continuera à reposer intacte au plus profond de nous et nous privera de la plus essentielle des libertés.

Abandonner cette fixation sur l'ego et ne plus s'identifier à lui revient à gagner une immense liberté intérieure. Liberté qui permet d'aborder tous les êtres que l'on rencontre et toute situation avec naturel, bienveillance, courage et sérénité. N'ayant rien à gagner ni rien à perdre, on est libre de tout donner et de tout recevoir.

Méditation sur la nature de l'esprit

Lorsque l'esprit s'examine lui-même, que peut-il apprendre sur sa propre nature ? La première chose qu'il remarque, ce sont les innombrables chaînes de pensées qui traversent notre esprit, que nous le voulions ou pas, et que nourrissent nos sensations, notre imagination, nos souvenirs et nos projections d'avenir.

Cependant, n'y a-t-il pas aussi une qualité « lumineuse » de l'esprit, qui éclaire notre expérience, quel que soit son contenu ? Cette qualité, c'est la faculté cognitive fondamentale qui sous-tend toute pensée. Ce qui dans la colère voit la colère sans être la colère ni s'y laisser entraîner. Cette simple présence éveillée peut être appelée « conscience pure » car on peut l'appréhender même en l'absence de concepts et de constructions mentales.

La pratique de la méditation montre que si nous laissons nos pensées se calmer, nous pouvons demeurer quelques moments dans l'expérience non conceptuelle de cette conscience pure. C'est cet aspect fondamental de la conscience, libre des voiles de la confusion, que le bouddhisme appelle « nature de l'esprit ».

Cette notion n'est certes pas évidente. On conçoit que des psychologues, des spécialistes des neurosciences et des philosophes s'interrogent sur la nature de la conscience, mais en quoi sa compréhension peut-elle affecter notre expérience personnelle ? C'est pourtant bien à notre esprit que nous avons affaire du matin au soir, et c'est lui qui, en fin de compte, détermine la qualité de chaque instant de notre existence. Si le fait de mieux connaître sa nature véritable et de comprendre ses mécanismes influe de manière cruciale sur cette qualité, on saisit mieux l'importance de s'interroger sur celui-ci. Sinon, faute de comprendre son propre esprit, on demeure étranger à soi-même.

Les pensées surgissent de la conscience pure et s'y dissolvent à nouveau, comme les vagues s'élèvent de l'océan et s'y résorbent, sans jamais devenir autre chose que l'océan lui-même. Il est essentiel de réaliser cela si l'on veut s'affranchir des automatismes habituels de pensées qui engendrent la souffrance. Identifier la nature fondamentale de la conscience et savoir y reposer dans un état non duel et non conceptuel est l'une des conditions essentielles de la paix intérieure et de la libération de la souffrance.

Méditation

Une pensée surgit, comme venue de nulle part, une pensée agréable ou une autre qui nous trouble. Elle demeure quelques instants puis s'efface pour être remplacée par d'autres. Lorsqu'elle disparaît, tel le son d'une cloche qui s'évanouit, où est-elle partie ? On ne saurait le dire. Certaines pensées reviennent fréquemment dans notre esprit où elles engendrent des états qui vont de la joie à la tristesse, du désir à l'indifférence, du ressentiment à la sympathie. Les pensées détiennent ainsi l'immense pouvoir de conditionner notre manière d'être. Mais d'où tirent-elles ce pouvoir ? Elles n'ont pas d'armée à leur solde, elles ne disposent pas de combustible pour entretenir une fournaise ni de pierres pour nous lapider. N'étant que des constructions de l'esprit, elles devraient être incapables de nous nuire.

Laissons notre esprit s'observer lui-même. Des pensées y surgissent. L'esprit existe d'une manière ou d'une autre, puisque nous en faisons l'expérience. Hormis cela, que peut-on en dire ? Examinons notre esprit et les pensées qui s'y manifestent. Est-il possible de leur attribuer des caractéristiques concrètes ? Ont-elles une localisation ? Non. Une couleur ? Une forme ? Plus on cherche, moins on trouve. On constate certes que l'esprit possède une faculté de connaître, mais aucune autre caractéristique intrinsèque et réelle. C'est dans ce sens que le bouddhisme définit l'esprit comme une continuité d'expériences : il ne constitue pas une entité distincte, il est « vide d'existence propre ». N'ayant ainsi rien trouvé qui puisse constituer une substance quelconque, demeurons quelques instants dans cet « introuvé ».

Lorsqu'une pensée survient, laissons-la surgir et se défaire d'elle-même, sans l'obstruer ni la prolonger. Durant le bref laps de temps où notre esprit n'est pas encombré de pensées discursives, contemplons sa nature. Dans cet intervalle où les pensées passées ont cessé et les pensées futures ne se sont pas encore manifestées, ne percevons-nous pas une conscience pure et lumineuse ? Demeurons quelques instants dans cet état de simplicité naturelle, libre de concepts.

À mesure que nous nous familiarisons avec la nature de l'esprit et que nous apprenons à laisser les pensées se défaire dès qu'elles surviennent – comme une lettre écrite avec le doigt à la surface de l'eau –, nous progresserons plus aisément sur le chemin de la liberté intérieure. Les pensées automatiques n'auront plus le même pouvoir de perpétuer notre confusion et de renforcer nos tendances habituelles. Nous déformerons de moins en moins la réalité et les mécanismes mêmes de la souffrance finiront par disparaître.

Disposant des ressources intérieures qui nous permettent de gérer nos émotions, notre sentiment d'insécurité fera place à la liberté et à la confiance. Nous cesserons d'être préoccupés exclusivement par nos espoirs et nos craintes, et nous serons disponibles pour tous ceux qui nous entourent, accomplissant ainsi le bien d'autrui en même temps que le nôtre.

Sources d'inspiration

« Les souvenirs passés qui surgissent dans l'esprit ont définitivement cessé. Les pensées qui concernent le futur n'ont pas encore acquis la moindre réalité. L'esprit qui demeure dans le présent est impossible à cerner : il est dépourvu de forme, de couleur ; pareil à l'espace, il est insubstantiel et irréel. Il est donc possible de comprendre que l'esprit est dénué de toute existence solide. »

Atisha Dipamkara

« Lorsqu'un arc-en-ciel apparaît, lumineux dans le ciel, vous pouvez contempler ses belles couleurs, mais vous ne pouvez l'attraper et le porter comme un vêtement. L'arc-en-ciel naît de la conjonction de différents facteurs, mais rien en lui ne peut être saisi. Il en va de même pour les pensées. Elles se manifestent dans l'esprit, mais elles sont dépourvues de réalité tangible ou de solidité intrinsèque. Aucune raison logique ne justifie donc que les pensées – qui sont insubstantielles – disposent de tant de pouvoir sur vous, aucune raison pour que vous en soyez l'esclave.

L'infinie succession de pensées passées, présentes et futures, nous conduit à penser qu'il existe quelque chose qui serait là de manière inhérente et permanente. Nous appelons cela l'esprit. Mais en fait, les pensées passées sont aussi mortes que des cadavres, et les pensées futures ne sont pas encore survenues. Alors, comment ces deux catégories de pensées qui n'existent pas pourraient-elles constituer une entité qui, elle, serait existante ? Et comment la pensée présente pourrait-elle s'appuyer sur deux choses inexistantes ?

Cependant, la vacuité des pensées n'est pas simplement du vide, comme on pourrait le dire de l'espace. Il y a là, présente, une conscience spontanée, une clarté comparable à celle du soleil qui éclaire les paysages et permet de voir les montagnes, les chemins et les précipices.

Bien que l'esprit soit doué de cette conscience intrinsèque, affirmer qu'il y a un esprit, c'est apposer l'étiquette de réalité sur quelque chose qui n'en a pas, c'est énoncer l'existence d'une chose qui n'est qu'un nom donné à une succession d'événements. On peut appeler "collier" l'objet constitué par des perles enfilées, mais ce "collier" n'est pas une entité douée d'une existence intrinsèque. Quand le fil casse, où est le collier[28] ? »

Khyentsé Rinpotché

« Peu à peu, je commençais à reconnaître la fragilité et le caractère éphémère des pensées et des émotions qui m'avaient perturbé pendant des années, et je comprenais comment, en me focalisant sur de petits ennuis, je les avais transformés en énormes problèmes. Du seul fait de rester assis à observer à quelle vitesse et, sous bien des aspects, avec quel illogisme, mes pensées et mes émotions allaient et venaient, je commençai à voir directement qu'elles n'étaient pas aussi solides et réelles qu'elles en avaient l'air. Puis, une fois que j'eus commencé à lâcher prise sur ma croyance à l'histoire qu'elles avaient l'air de me raconter, je perçus peu à peu l'"auteur" qui se cachait derrière : la conscience infiniment vaste, infiniment ouverte, qui est la nature même de l'esprit.

Toute tentative de décrire par des mots l'expérience directe de la nature de l'esprit est vouée à l'échec. Tout ce que l'on peut en dire, c'est qu'il s'agit d'une expérience infiniment paisible et, une fois stabilisée par une pratique répétée, quasiment inébranlable. C'est une expérience de bien-être absolu qui imprègne tous les états physiques et mentaux, même ceux qui sont normalement considérés comme déplaisants. Ce sentiment de bien-être, indépendant de la fluctuation des sensations venues de l'intérieur ou de l'extérieur, est l'une des manières les plus claires de comprendre ce que le bouddhisme entend par "bonheur". »

Yongey Mingyour Rinpotché

« La nature de l'esprit est comparable à l'océan, au ciel. L'incessant mouvement des vagues à la surface de l'océan nous empêche d'en voir les profondeurs. Si nous plongeons, il n'y a plus de vagues, c'est l'immense sérénité du fond... La nature de l'océan est immuable.

Regardons le ciel. Il est parfois clair et limpide. D'autres fois, des nuées s'y accumulent, modifiant la perception que nous en avons. Pourtant, les nuages n'ont pas changé la nature du ciel. [...] L'esprit n'est rien, sinon la nature totalement libre... Demeurons dans la simplicité naturelle de l'esprit qui est au-delà de tout concept. »

Pema Wangyal Rinpotché

À la fin d'une séance de méditation et avant de reprendre le cours de nos activités, il importe de jeter un pont entre notre pratique et la vie quotidienne, de sorte que les fruits de cette pratique se perpétuent et continuent de nourrir notre transformation intérieure.

Si nous interrompons brusquement notre méditation pour reprendre nos activités comme si de rien n'était, la pratique de la méditation n'aura que peu d'effet sur notre existence, et ses bienfaits seront aussi éphémères que des flocons de neige tombant sur une pierre brûlante.

Une manière d'assurer la continuité des bienfaits de la méditation consiste à les dédier par le biais d'une profonde aspiration dont l'énergie positive se perpétuera jusqu'à ce que son objet se réalise, à l'image d'un flocon de neige qui tombe et se dissout dans l'océan, et durera aussi longtemps que l'océan lui-même.

À cette fin, formulons ce vœu : « Puisse l'énergie positive engendrée non seulement par cette méditation mais par tous mes actes, paroles et pensées bienveillantes, passées, présentes et futures, contribuer à soulager les souffrances des êtres, à court et à long terme. » Souhaitons du fond du cœur que, par le pouvoir de ce que nous avons fait, les guerres, les famines, les injustices, et toutes les souffrances causées par la pauvreté et les maladies physiques ou mentales s'apaisent.

Pensons que cette dédicace des bienfaits de nos actes n'est pas comme le partage d'un gâteau entre mille personnes qui n'en recueilleraient chacune que quelques miettes, mais que chacun des êtres en reçoit la totalité.

Souhaitons également que tous les êtres trouvent le bonheur, à la fois temporaire et ultime. « Puissent l'ignorance, la haine, l'avidité et les autres perturbations être éradiquées de leurs esprits, et puissent-ils atteindre la plénitude des qualités humaines ainsi que le suprême Éveil. »

Une telle dédicace constitue un sceau indispensable à toute pratique spirituelle et permet à l'énergie constructive engendrée par notre méditation et tous nos actes positifs de se perpétuer.

La méditation est un processus de formation et de transformation. Pour avoir un sens, elle doit se refléter dans chaque aspect de notre manière d'être, chacune de nos actions et de nos attitudes. Sinon, ce n'est qu'une perte de temps. Nous devons donc persévérer avec sincérité, vigilance et détermination, et vérifier qu'au fil du temps de réels changements se produisent en nous. Certains affirment dès le départ que toutes les activités de leur vie sont une méditation. S'il est indéniable que le but de l'entraînement de l'esprit est de nous rendre capables de maintenir une certaine façon d'être dans toutes nos activités, déclarer d'emblée que la vie est une méditation semble un peu prématuré. Le tourbillon de la vie quotidienne nous laisse rarement l'occasion d'acquérir la force et la stabilité nécessaires à la pratique méditative.

C'est pour cela qu'il est important de consacrer du temps à la méditation elle-même, ne serait-ce que trente minutes par jour, si possible plus. Effectuée notamment le matin, au lever, la méditation donnera un tout autre « parfum » à notre journée. Ses effets imprégneront, de manière discrète mais profonde, nos attitudes et la manière dont nous mènerons nos activités et interagirons avec ceux qui nous entourent. Pendant le reste de la journée, forts de l'expérience acquise, nous pourrons nous référer intérieurement à l'expérience de la méditation formelle qui restera encore vivante dans notre esprit. Lorsque nous disposerons de quelques moments de répit, il nous sera plus facile de nous replonger dans une qualité d'être devenue familière et de maintenir la continuité de ses effets bienfaisants. Une telle pratique est tout à fait compatible avec la vie active, professionnelle et familiale.

Ces effets nous permettront de situer les événements de notre existence dans une perspective plus vaste, et de les vivre avec davantage de sérénité sans pour autant tomber dans l'indifférence, d'accepter ce qui survient sans pour autant être résignés, et de construire le futur en l'étayant sur une motivation altruiste et confiante. C'est ainsi que, peu à peu, grâce à l'entraînement de l'esprit, nous pourrons changer notre manière d'être habituelle. Nous bénéficierons d'une compréhension plus juste de la réalité et, de ce fait, nous serons moins choqués lorsque des changements brutaux se produiront dans notre existence, et moins infatués par nos succès superficiels. Ce seront là autant de signes d'une transformation personnelle authentique qui nous permettra de mieux agir sur le monde dans lequel nous vivons et de contribuer à la construction d'une société plus sage et altruiste.

Notes

I. Pourquoi méditer ?

1. Romain Rolland, *Jean-Christophe*, Paris, Albin Michel, 1952, t. VIII.

2. *Sur les effets négatifs du stress,* voir Sephton, S.E., Sapolsky, R., Kraemer, H.C., et Spiegel, D., « Diurnal Cortisol Rhythm as a Predictor of Breast Cancer Survival », *Journal of the National Cancer Institute* 92 (12), 2000, p. 994-1000. *Sur l'influence de la méditation,* voir : Carlson, L.E., Speca, M., Patel, K.D., Goodey, E., « Mindfulness-Based Stress Reduction in Relation to Quality of Life, Mood, Symptoms of Stress and Levels of Cortisol, Dehydroepiandrostrone-Sulftate (DHEAS) and Melatonin in Breast and Prostate Cancer Outpatients », *Psychoneuroendocrinology,* vol. 29, Issue 4, 2004 ; Speca, M., Carlson, L.E., Goodey, E., Angen M., « A Randomized, Wait-list Controlled Clinical Trial : the Effect of a Mindfulness Meditation-based Stress Reduction Program on Mood and Symptoms of Stress in Cancer Outpatients », *Psychosomatic medicine,* 62 (5), sept.-oct. 2000, p. 613-622 ; Orsillo, S.M. et Roemer, L. *Acceptance and Mindfulness-based Approaches to Anxiety,* Springer 2005.

3. Teasdale, J.D. *et al.*, « Metacognitive awareness and prevention of relapse in depression : empirical evidence », *J. Consult. Clin. Psychol.*, 70, 2002, p. 275-287 ; Grossman, P., Niemann, L., Schmidt, S., et Walach, H., « Mindfulness-based

stress reduction and health benefits. A meta-analysis », *Journal of Psychosomatic Research*, 57 (1), 2004, p. 35-43 ; Sephton, S.E., Salmon, P., Weissbecker, I., Ulmer, C., Hoover, K., et Studts, J., « Mindfulness Meditation Alleviates Depressive Symptoms in Women with Fibromyalgia : Results of a Randomized Clinical Trial », *Arthritis Care & Research*, 57 (1), 2004, p. 77-85 ; M.A. Kenny, J.M.G. Williams, « Treatment-resistant depressed patients show a good response to Mindfulness-based Cognitive Therapy », *Behaviour Research and Therapy*, vol. 45, Issue 3, 2007, p. 617-625.

4. MBSR, « Mindfulness Based Stress Reduction », est un entraînement séculier à la méditation sur la pleine conscience, fondé sur une méditation bouddhiste, qui a été développé dans le système hospitalier des États-Unis d'Amérique depuis plus de vingt ans par Jon Kabat-Zinn et qui est maintenant utilisé avec succès dans plus de deux cents hôpitaux pour diminuer les douleurs postopératoires et celles associées au cancer et autres maladies graves. Voir Kabat-Zinn, J. *et al.*, « The Clinical Use of Mindfulness Meditation for the Self-Regulation of Chronic Pain », *Journal of Behavioral Medecine*, 8, 1985, p. 163-190.

5. Davidson, R.J., Kabat-Zinn, J., Schumacher, J. Rosenkranz, M., Muller, D., Santorelli, S.F., Urbanowski, F., Harrington, A., Bonus, K., et Sheridan, J.F., « Alterations in brain and immune function produced by mindfulness meditation », *Psychosomatic Medecine*, 65, 2003, p. 564-570.

Sur les effets à long terme de la méditation voir : Lutz, A., Greischar, L. L., Rawlings, N. B., Ricard, M. et Davidson, R. J., « Long-term Mediators Self-induced High-amplitude Gamma Synchrony During Mental Practice », *PNAS*, vol. 101, n° 46, novembre 2004 ; Brefczynski-Lewis, J. A., Lutz, A., Schaefer, H. S., Levinson, D. B. et Davidson, R. J., « Neural Correlates of Attentional Expertise in Long-Term Meditation Practitioners », *PNAS*, vol. 104, n° 27, juillet 2007, p. 11483-11488 ; Ekman, P., Davidson, R. J., Ricard, M. et Wallace, B. A., « Buddhist and psychological perspectives on emotions and well-Being », *Current Directions in Psychological Science*, 14, 2005, p. 59-63.

6. Lutz, A., Slagter, H. A., Dunne, J. D. et Davidson, R. J., « Attention regulation and monitoring in meditation », *Trends in Cognitive Science*, vol. 12, n° 4, avril 2008, p. 163-169 ; Jha, A.P. *et al.*, « Mindfulnes' training modifies subsystems of attention », *Cogn. Affect. Behav. Neurosci*, 7, 2007, p. 109-119 ; Slagter, H.A., Lutz, A., Greischar, L.L., Francis, A.D., Nieuwenhuis, S., Davis, J.M., Davidson, R.J., « Mental Training Affects Distribution of Limited Brain Resources », *PLoS Biology*, volume 5, Issue 6, e138, www.plosbiology.org, juin 2007.

7. Carlson, L.E. *et al.*, « One year pre-post intervention follow-up of psychological, immune, endocrine and blood pressure outcomes of mindfulness-based stress reduction (MBSR) in breast and prostate cancer out patients », *Brain Behav. Immun.*, 21, 2007, p. 1038-1049.

8. Voir Grossman, P. *et al., op. cit.*

9. Lutz, A., Dunne, J.D. and Davidson, R.J., « Meditation and the Neuroscience of Consciousness : An Introduction », in *The Cambridge Handbook of Consciousness*, chap. 19, p. 497-549, 2007.

II. Sur quoi méditer ?

1. Jigmé Khyentsé Rinpotché, enseignement donné au Portugal, septembre 2007.

2. Un auteur bouddhiste du VIIe siècle dont l'œuvre principale, *L'Entrée dans la pratique des bodhisattvas (Bodhicharyavatara)*, est un grand classique.

III. Comment méditer ?

1. Yongey Mingyour Rinpotché, *Bonheur de la méditation*, Fayard, 2008.

2. Shantidéva, *L'Entrée dans la pratique des bodhisattvas*, Éditions Padmakara, 2007, I, 28.

3. Dilgo Khyentsé Rinpotché (1910-1991) fut l'un des plus

éminents maîtres spirituels tibétains du XXe siècle. Voir *L'Esprit du Tibet*, Points Sagesse, Le Seuil, 1996.

4. Edwin Schroedinger, *Ma conception du monde*, Mercure de France, 1982 (traduit de *My View of the World*, Londres, Cambridge University Press, 1922, p. 22).

5. Bhante Henepola Gunaratna, *Méditer au quotidien ; une pratique simple du bouddhisme*, Marabout, 2007.

6. Thich Nhat Hanh, *Guide de la méditation marchée*, Éditions La Bôi, Village des Pruniers, 1983.

7. En sanskrit ces trois composantes sont appelées respectivement *manaskāra, smriti*, et *samprajnana* (les termes pali équivalents sont *manasikara, sati* et *sampajanna*, et les termes tibétain *yid la byed pa, dran pa* et *shes bzhin*).

8. Un mantra n'est généralement pas construit comme une phrase ayant un sens littéral. Ici « *Om* » est la syllabe qui ouvre le mantra et lui confère un pouvoir de transformation. « *Mani* », ou « *joyau* », réfère au joyau de l'amour altruiste et de la compassion. « *Padmé* », le gérondif de *padma* ou « *lotus* », réfère à la nature fondamentale de la conscience, notre « bonté originelle », qui, à la manière du lotus qui pousse immaculé au-dessus d'un bourbier, demeure intacte même lorsqu'elle se trouve au milieu des poisons mentaux que nous avons fabriqués. « *Hung* » est une syllabe qui confère au mantra sa force d'accomplissement.

9. Bokar Rinpotché, *La Méditation, conseils aux débutants*, Editions Claire Lumière, 1999, p. 73.

10. Yongey Mingyour Rinpotché, *op. cit.*

11. Etty Hillesum, *Une vie bouleversée*, Le Seuil, Points, 1995, p. 308.

12. Shantidéva, *op. cit.*, III, 18-22.

13. Shantidéva, *op. cit.*, X, 55.

14. « Pain », BBC World Service Radio, dans la série « Documentary » réalisée par Andrew North, février 2008.

15. Banthe Henepola Gunaratna, *op. cit.*

16. Longchen Rabjam, (1308-1363), l'un des grands luminaires du bouddhisme tibétain ; extrait de *Gsung thor bu*, p. 351-352, trad. M. Ricard.

17. Extrait des « Paroles des maîtres kadampas », *Mkha' gdams kyi skyes bu dam pa rnams kyi gsung bgros thor bu ba rnams*, p. 89, trad. M. Ricard.

18. Dalaï-lama, enseignements oraux donnés à Schvenedingen, Allemagne, 1998, trad. M. Ricard.

19. Thich Nhat Hanh, *La Vision profonde*, trad. Philippe Kerforme (traduit de *The Sun in my Heart*, 1988, Spiritualités Vivantes, Albin Michel, 1995.

20. Bhante Henepola Gunaratna, *op. cit.*

21. Nagarjoûna, *Suhrlleka*, « *Lettre à un ami* », trad. du tibétain.

22. Etty Hillesum, *Une vie bouleversée, op. cit.*, p. 218.

23. Etty Hillesum, *ibid.*, p. 104.

24. Dalaï-lama, *Conseils du cœur*, Presses de la Renaissance, p. 130-131.

25. Dilgo Khyentsé, *Le Trésor du cœur des êtres éveillés*, Point Sagesse, Le Seuil, 1997.

26. *Ibid.*

27. Han F. de Wit, *Le Lotus et la Rose*, traduction du hollandais par C. Francken, Huy, Kunchap, 2002.

28. Dilgo Khyentsé Rinpotché, *Au cœur de la compassion*, Éditions Padmakara, 2008.

Éléments de bibliographie

Bhante Henepola Gunaratna, *Méditer au quotidien : Une pratique simple du bouddhisme*, Marabout, 2007.

Bokar Rinpoche, *La Méditation, conseils aux débutants*, trad. Tcheuky Sengué, Éditions Claire Lumière, 1999.

Dalaï-lama, *Comme un éclair déchire la nuit*, Albin Michel, 1999.

Dilgo Khyentsé Rinpotché, *Le Trésor du cœur des êtres éveillés*, Points Sagesse, Le Seuil, 1997.

Dilgo Khyentsé Rinpotché, *Les Cent Conseils de Padampa Sanguié*, Éditions Padmakara, 2007.

Dilgo Khyentsé Rinpotché, *Au cœur de la compassion*, Éditions Padmakara, 2008.

Dudjom Rinpoché, *Petites instructions essentielles*, Éditions Padmakara, 2002.

Dzigar Kongtrul, *Le bonheur est entre vos mains : Petit guide du bouddhisme à l'usage de tous*, NiL éditions, 2007.

Khenpo Kunzang Palden, *Perles d'ambroisie*, Éditions Padmakara, 3 vol., 2008.

Patrul Rinpotché, *Le Chemin de la grande perfection*, Éditions Padmakara, 2ᵉ édition, 1997.

Ricard Matthieu, *Plaidoyer pour le bonheur*, NiL éditions, 2004.

Ricard Matthieu et Revel Jean-François, *Le Moine et le Philosophe*, NiL éditions, 1997.

Ringu Tulku Rinpotché, *Et si vous m'expliquiez le bouddhisme ?*, NiL éditions, 2001.

Sogyal Rinpoché, *Le Livre tibétain de la vie et de la mort*, édition revue et augmentée, LGF, 2005.

Shantidéva, *L'Entrée dans la pratique des bodhisattvas*, Éditions Padmakara, 2007.

Tulkou Pema Wangyal, *Bodhicitta : l'esprit d'Éveil*, Éditions Padmakara, 1997.

Tulkou Pema Wangyal, *Diamants de sagesse*, Éditions Padmakara, 1997.

Thich Nhat Hanh, *Le Miracle de la pleine conscience*, L'Espace bleu, 1996.

Yongey Mingyour Rinpotché, *Bonheur de la méditation*, Fayard, 2007.

Wallace B. Alan, *The Attention Revolution, Unlocking the Power of the Focused Mind*, Wisdom Publications, Boston, 2006.

Wallace B. Alan, *Science et bouddhisme : à chacun sa réalité*, Calmann-Lévy, 1998.

Remerciements

Je remercie profondément tous ceux qui ont rendu possible l'existence de ce livre.

Inutile de dire que je dois tout ce qu'il contient de juste à la bienveillance et à la sagesse de mes maîtres spirituels, principalement Kyapjé Kangyur Rinpotché, Dilgo Khyentsé Rinpotché, Trulshik Rinpotché, Péma Wangyal Rinpotché et Jigmé Khyentsé Rinpotché, ainsi que Sa Sainteté le Dalaï-lama qui, selon les maîtres que je viens de citer, est le maître bouddhiste tibétain le plus accompli de notre temps.

Je remercie tous ceux qui m'ont incité à rassembler ces instructions sur la méditation, désireux qu'ils étaient d'apprendre à méditer. Sans eux, l'idée de composer ce petit traité ne me serait pas venue à l'esprit.

Je remercie mon amie et fidèle éditrice Nicole Lattès, qui m'a toujours encouragé à poursuivre mes efforts en dépit de mon manque de don naturel pour la littérature.

Je suis vivement reconnaissant à tous mes amis qui ont eu la bonté et la patience de lire ce texte et de l'améliorer considérablement sur le fond et la forme par leurs suggestions avisées : Christian Bruyat, Carisse et Gérard Busquet, ma très chère mère Yahne Le Toumelin, Raphaële Demandre, Gérard Godet, Christophe André et Michel Bitbol.

Merci à mes amies des Éditions NiL et Laffont, Françoise Delivet qui a assuré la mise en forme finale du texte et m'a aidé à clarifier de nombreux points, Christine Morin et Catherine Bourgey, qui m'ont toujours aidé et accompagné avec gentillesse et compétence, ainsi qu'à Joël Renaudat pour avoir conçu la jolie maquette du livre.

Les droits d'auteur issus de ce livre sont entièrement consacrés aux projets humanitaires que nous menons au Tibet, au Népal, en Inde et au Bhoutan. Ceux qui souhaiteraient se joindre à cet effort peuvent se mettre en rapport avec l'association que nous avons fondée dans ce but : KARUNA, 20 bis, rue Louis-Philippe, 92200 Neuilly-sur-Seine ; www.karuna-fr.org et www.karuna-shechen.org.

*Cet ouvrage a été composé et mis en pages
par ÉTIANNE COMPOSITION
à Montrouge.*

IMPRIMÉ AU CANADA

Dépôt légal : octobre 2008